WiLL SPECIAL 保存版

# 日本のエネルギーが危ない！

ワック出版局

はじめに

# 原子力規制委の独善が日本を滅ぼす

櫻井よしこ
ジャーナリスト
奈良林 直
東京工業大学特任教授

遅々として進まない原発再稼働。
ツケは電気料金として国民が払うことになる

## 無規律な原子力行政

**櫻井**　エネルギーの安定供給は国の基本ですが、我が国はこの問題にまともに向き合ってきませんでした。

エネルギー問題は、いま大きな技術革新の中にあります。現在はまだ使い勝手が十分に良いとは言えない再生可能エネルギーも、将来、必須のエネルギー源になるでしょう。その時のために、日本は再エネの研究開発を重視する必要があると思います。

一方で現在と近未来を考えれば、どうしても原子力発電にエネルギー供給の基本を担ってもらわなければなりません。しかし我が国の原子力行政は、いま異常といってよい混乱に陥っています。

その理由は、三条委員会という、政権も介入できない強い権限と独立性を与えられた原子力規制委

さくらい　よしこ
ベトナム生まれ。ハワイ州立大学歴史学部卒業後、「クリスチャン・サイエンス・モニター」紙東京支局勤務。日本テレビニュースキャスター等を経て、現在はフリージャーナリストとして活躍。国家基本問題研究所理事長。『エイズ犯罪　血友病患者の悲劇』（中央公論社）で大宅壮一ノンフィクション賞受賞。『日本の危機』（新潮社）など一連の言論活動で菊池寛賞受賞。第二十六回正論大賞受賞。

員会が機能していないからです。規制委は国際ルールも、日本の法律も守っていません。いわば違法で無規律な規制をしているのです。

　日本が法治国家である以上、規制委も行政手続法に従わなければなりません。にもかかわらず、規制委は超法規的に振る舞っています。それに対して政治家も電力会社も、抗議の声を上げることを躊躇《ちゅうちょ》している。原子力行政、さらには日本のエネルギー政策を立て直すために、まずは規制委・規制庁を正すことから始める必要があります。

**奈良林**　女川《おながわ》原発二号機は、年明けに規制委の安全審査に合格すると聞いていました。しかし、二〇一九年十一月末に前倒しで合格した。いま審査中の島根原発二号機も、審査合格の見通しといいます。一月中旬の国際原子力機関（ＩＡＥＡ）のフォロー会議を前に、審査を急いでいるような印象です。

**櫻井**　私たち国民は、原発再稼働の第一条件は安全性だと考えています。ところが、安全性を盾にとって、あまりにも非合理的な審査がまかり通っているのが現状です。

　その典型が、テロ対策の特重施設が期限までに完成しなければ、再稼働した原発の運転を停止するという決定です。規制委の更田豊志《ふけたとよし》委員長は記者会見で、特重施設が約束の期限までに完成しなくても、そのことでテロの危険が増すわけではない、原発の安全性は確保されているという趣旨の発言をしています。それなのに、期限までに特重施設が完成しなければ原発を止めさせるというのです。実際の安全性と結びつかない審査をしているのです。そのツケは、電気料金という形ですべて国民に回ってきます。

**ならばやし　ただし**
一九五二年、東京都生まれ。東京工業大学大学院理工学研究科原子核工学修士課程修了。東芝に入社し原子力の安全性に関する研究に携わる。九一年、工学博士。同社原子力技術研究所主査、電力・産業システム技術開発センター主幹を経て、二〇〇五年、北海道大学大学院工学研究科助教授に就任。一六年から名誉教授。二〇一八年一月、国際原子力機関（IAEA）、米国原子力規制委員会（NRC）などの専門家が参加する世界職業被曝情報システムの北米シンポジウムで『この一年に世界で最も傑出した教授賞』を受賞。

**奈良林**　原子力基本法第二条第二項に、原子力規制は国民の生命と財産、環境や安全保障を満足させるように行うべきと書かれている。ところが、その精神が守られていません。更田委員長は電力会社の社長を呼びつけ、「安全対策に金を出し惜しみすることはないだろうな」というようなことを言っています。電力会社は震え上がって、金に糸目をつけずに工事を続けねばならない状況に追い込まれているのです。

**櫻井**　ひどい委員長です。一般家庭や中小企業に対して、「電気料金をいくらでも払ってもらうぞ」と言っているに等しい。

**奈良林**　マスコミは、電力事業者に厳しい態度を取る更田委員長を称賛しています。ところが、原発の停止が国民に負担を強いていることを誰も指摘しません。

## 日本経済にブレーキ

**櫻井**　いま世界は、原子力発電を加速させ、再生可能エネルギーも普及させる方向に進んでいます。再エネについては、発電量のコントロールが難しいといった弱点を補うための研究開発に力を注ぐべきだと思います。同時に、原子力を活用しなければ日本の産業は衰退の一途をたどること、国民生活に重い負担をかけることも忘れてはなりません。原発を止めていることによって、二〇三〇年までに、少なく見積もっても二十七兆円も国民負担が増えると試算されています。

福島事故後、全ての原発が停止して不足した電力供給を補うために、液化天然ガスなど火力発電で穴埋めしました。燃料費の増加金額は、ピーク時の二〇一三年度には年間三・六兆円、一日当たり百億円になりました。当時、私は毎日百億円のキャッシュを燃やしている映像を想像して、本当にもったいないと思ったものです。その後、一部原発の再稼働や燃料価格の下落もあり、穴埋め用の燃料費負担は少し下がっています。それでも、二〇一一年度から現在までの負担総額は約二十兆円に達しているのです。二十兆円がどれほど大きな金額か、私たちはよくよく考える必要がありますね。

**奈良林**　さらに、菅直人元首相が主導して二〇一二年に導入された、再エネの固定価格買取制度（ＦＩＴ）による国民負担が膨大な数字になっています。ＦＩＴの「Ｔ」、つまり「タリフ」は「税金」という意味で、太陽光事業者に支払う税金にほかなりません。

再エネの買取総額は二〇一九年度で三・六兆円、二〇三〇年までの累積総額はなんと五十九兆円。国民の直接負担ともいえる電気料金に上乗せされる再エネ賦課金は年間二・四兆円、累積総額は四十四兆円と試算されています。再エネ賦課金だけで計算

参議院予算委員会で答弁する原子力規制委員会の更田豊志委員長（写真提供：時事）

しても、二十年足らずで国民一人当たり四十万円。子供が二人いる世帯を考えると、百六十万円を負担することになるのです。

**櫻井**　原発停止による化石燃料負担に加えて、太陽光事業者に払う再エネ賦課金で発生するコストも国民経済に重くのしかかっています。国民が一生懸命働いてGDPを増やしても、十兆円単位の負担がかかっていては、なかなか日本経済は飛び立てません。アベノミクスにブレーキがかかってしまいます。

また、規制委が青天井の工事を求めることで発生するコストは、電気料金本体に含まれています。こうした事情で生じる負担の大きさは、なかなか消費者に伝わりません。

## 合法的な搾取システム

**奈良林**　生活に欠かせない電気の値段を上げると、年金だけで暮らす高齢者や低賃金で働く若者など、社会的弱者の生活を直撃します。ある程度の収入がある方は、電気料金が上昇しても、さほど負担に感じないかもしれない。ところが、ギリギリの生活を送っている人たちにとって、電気料金の上昇は文字通り、生死に関わる。

伊方原発に近い愛媛県八幡浜市が主催する講演会に呼ばれたことがあります。午前中は反原発派の講師が話し、午後は私が講演しました。会場には、地元でも有名な反原発派の共産党市議が最前列においでになり、聴衆の三分の一は反原発派で埋まっていました。

地球環境が危機的状況にあること、太陽光発電が非力で火力発電に頼らなければならないこと、そして原発が再稼働しないことで莫大なコストがかかっていることについて説明しました。原発をストップしていることで発生するコストのうち、一兆円でも保育園や託児所の拡充、介護施設で働いている方々の待遇改善に使ったら、どんなに良い国になるか。生活に身近なテーマにつなげて話すことを心がけました。太陽光を「現代における合法的な搾取システム」と批判する有識者がいることも伝えました。富裕層は太陽光パネルを屋根に設置し、余った電気を電力会社に買い取ってもらうことができる。でも、それができるのは百世帯に一世帯くらいの割合です。

講演が終わると、その共産党市議がにこやかに微笑みながら、「太陽光発電ってこんなに酷いんですね」と発言されました。弱者の味方を掲げる共産党にとって、格差解消は最優先課題です。私の話が、共産党の市議にも響いたのでしょう。会場の皆様が皆、笑顔になり、大変和やかな質疑が続きました。嬉しかったです。

八幡浜市長からも、「データに基づいた話は分かりやすく、参加者の満足度が高かった」とお礼状をいただきました。

**櫻井**　先ほど奈良林さんがおっしゃったように、規

水素製造拠点「福島水素エネルギー研究フィールド」の設備を視察する安倍晋三首相（写真提供：時事）

制委は、事業者から無尽蔵にお金をとってもいいと考えているようです。それはすなわち、国民は無尽蔵に負担すべきという考えです。でも、エネルギー政策は、経済合理性に適ったものでなければなりません。民生の安定と産業の繁栄を図るために、廉価なエネルギーを供給する必要があるのです。

## 「裸の王様」と化す委員長

**奈良林**　更田さんが委員長になる以前、委員の頃は日本保全学会で改善案や対策案を提示し、二十回以上にわたって打ち合わせしました。当時は、我々の意見を非常によく理解されて、規制行政に反映していただいた。

委員長になる三カ月前、更田さんにアポを取ろうとすると、原子力規制庁の秘書担当者に、「委員長になるのが決まったので、マスコミのカメラが回っているところでしかお会いできません」と言われた。

私は反原発派から原発推進の権化、いわば「御用学者」だと思われています。本当は原発の安全の推進者なのですが、安全対策の面談でカメラに映ると、原子力ムラが規制委に圧力をかけていると誤解される恐れがある。だから、今は更田さんとの面会を控えています。委員長になると適切なアドバイスを受ける機会がなくなってしまうのです。

**櫻井**　上に立つ人間は、最も都合の悪い情報を踏まえたうえで判断を下さなければなりません。自らへの批判を退けているようでは、裸の王様になってしまいます。いま更田さんにアドバイスしているのは、どういう人たちなんでしょうか。

**奈良林**　経済産業省の中に置かれていた旧原子力安全・保安院の人たちと旧原子力安全基盤機構（ＪＮＥＳ）の人たちが多いですね。実はこのＪＮＥＳが、二〇〇七年の報告書で津波のリスクを指摘していました。また、米国原子力規制委員会（ＮＲＣ）もテロ対策として、送電線の切断（外部電源喪失）と海水冷却ポンプの破壊（冷却源喪失）が起きても、炉心に注水する手段を確保するよう要求していたのです。

**櫻井**　旧保安院は本当にお粗末な組織でしたね。

東京電力は三・一一の前、津波の到来に備えて対策を取らなくてはならないと議論していました。ＪＮＥＳの報告書を読んだ保安院は当然、津波対策をする必要性も、ＮＲＣのテロ対策も知っていたはずです。

**奈良林**　ところが重要なことを放置したまま、事業者に品質保証制度（ＱＭＳ）に基づく膨大な機器・配管の検査記録の報告書の提出を要求したのです。わが国の全原発の毎回の定期検査で、報告書は十万ページにもなりました。その結果、安全上重大な欠陥を炙《あぶ》り出す対策の中身を審査するのではなく、資料自体の検査に陥ってしまった。例えば、誤字脱字があると、報告書の「品質」が悪いと判断されてしまうのです。

**櫻井**　十万ページというのは、ファイルに閉じて積み上げると四階建ての建物くらいの高さになります。膨大な資料をどうやって運ぶのかを電力会社に尋ねたところ、「トラックと台車を使います」と。どこに納めるのか聞くと、「倉庫に納めます」と。文字通り、お蔵入りです(笑)。

**奈良林**　それぞれの地域に保安院の検査官事務所があって、そこのスタッフが書類をチェックしています。事務所で書類を検査している検査官に話を聞くと、「誤字脱字を見逃すと叱られるので、まず誤字脱字の検査から始めます。毎日が書類との格闘で、これで原発の安全が高まるとは到底思えません。現場に行く時間も減ってしまいます」と嘆いていました。

## 「目途に」は守られない

**櫻井**　そんな保安院の人々がいまや規制庁に移り、更田さんを囲んでいるわけです。規制庁が、保安院の悪しき時代に戻っている。まさに先祖返りしているのです。

**奈良林**　我々は外部有識者なので、委員時代の更田さんには簡単にアポが取れた。保全学会の会長として、様々な提言をしてきました。

例えば、特重施設に猶予期間を与えること。最初は適合審査に合格してから五年でしたが、十分な工事期間を取るために、工事認可が下りてから五年にしましょうと提言しました。その間に生じ得る危険に対しては、電源車とポンプ車を組み合わせれば、原発がテロに遭っても炉心注水機能が確保できるからです。この提言は、しっかりと工事を進めるために必要だとして、規制委が聞き入れてくれました。

審査を加速するための手段を保全学会に考えてほしいと依頼され、型式化・重点化を提案したこともあります。加圧水型原子炉の場合、蒸気発生器が三つと四つの二種類ある。原子炉は配置から何から全部一緒なので、型式が同じなら同じ審査書類を使えばいい。敷地や現地の特有な事情についてだけ審査すれば十分なわけです。この型式化・重点化が導入され、原子炉七基を同時に審査していたこともある。瞬間的ではありますが、七倍のスピードで審査ができていたのです。

**櫻井**　かつての更田さんは開明的だったわけですね。五年前には、規制庁職員に対し、「一年を目途にと、よく『目途に』と使われるが、守られたためしがない。だらだらと長い時間をかけることがないように」と叱責しています。奈良林先生の助言を受け入れ、七倍のペースで進められていた時期です。

## IAEAの厳しい勧告

**櫻井**　規制委も規制庁も、原子力に関する国際的な権威とされるIAEAの意見を真摯に受け止めなければなりませんが、そこはどうなっていますか。

**奈良林**　IAEAの専門家チームが二〇一六年一月に来日して、規制委・規制庁の評価を行いました。その結果に基づいて総合規制評価サービス（IRRS）ミッション報告書がまとめられましたが、規制委・規制庁に厳しい勧告を出しています。

**櫻井**　IAEAの報告書には、「規制委の人的資源、管理体制、特にその組織文化は初期段階にある」「課された任務を遂行するのに能力ある職員を抱えていない」と記されています。

**奈良林**　規制の判断基準がはっきりしていれば、事業者はそれを参考に対策工事を進めることができる。しかし実際は、まず事業者が改善案を示し、それに規制委・規制庁が条件をつけている。しかも、条件を途中で変えてしまうのです。

NRCは、経済合理性を考慮した規制を採用しています。まずは、低コストで劇的にリスクを低下させることができる方策を優先的に求めるのです。

更田さんが委員だったとき、原子炉の水位をしっ

東京電力福島第１原子力発電所を視察するＩＡＥＡのラファエル・グロッシ事務局長（写真提供：時事）

かりと測れるようにすべきだと提言したことがあります。一九七九年に事故を起こした米国スリーマイル島（ＴＭＩ）原発二号機では、炉心の水位が下がっているにもかかわらず、満水状態と表示されていた。運転員が炉心冷却系のポンプを止めて、それが事故の原因になったのです。米国ではすでに対策がされていて、日本で導入できるように提案しました。しかし、いまだに導入されていません。

三大原発事故のうち、ＴＭＩと福島第一は運転員がずれた水位表示で勘違いしたことが原因になっています。福島でも事故発生後しばらく、水位は確保されているからメルトダウンなどしていないと言われていました。

**櫻井**　事故直後、奈良林先生はテレビや新聞で、まっさきにメルトダウンの可能性を指摘されていました。素人の私でも納得できる解説をお聞きし、国家基本問題研究所にお呼びすることにしたのです。

**奈良林**　規制委・規制庁の審査は、ＮＲＣが重視している費用対効果や優先順位をあまりにも軽視しています。原発に火災報知機を二千個設置しろ、なんて無茶なことを指示していますからね。

**櫻井**　火災報知機はケーブルでつなげなくてはなりません。原発は、作業員の被ばくを避けるために厚さ一メートルを超えるコンクリート製の遮蔽壁を設けています。火災報知機を設置するには、そこにドリルを突き刺して穴を開け、二千本のケーブルを通す必要がある。かえってリスクが増してしまいます。これは、潜水艦の船体を穴だらけにするようなものです。

**奈良林**　北海道室蘭市にある日本製鋼所室蘭製作所で製造する原子炉圧力容器は、世界一と評価されています。継ぎ目が少なく、欠陥もないものです。

今度は溶接線の全数検査を要求しています。米国は炉心から遠いため、中性子に晒されるリスクが低い箇所の除外規定がある。リスクが少ないところの検査数を増やしてしまうと、重要なリスクを見出せなくなります。現在の規制委は、保安院に戻ってしまっている。やっている人が同じだから、福島第一原発事故を防げなかった保安院と同じことをしている。

## 権力は人を変える

**櫻井**　米国には、原子力規制を司るＮＲＣをチェックする原子炉安全諮問委員会（ＡＣＲＳ）というグループが存在していますね。そこには、原子炉安全分野をカバーできる一級の経験と実力をもった専門家が集まっている。ＡＣＲＳの助言に基づいて、ＮＲＣが行動できる仕組みになっているのです。

**奈良林**　ＡＣＲＳは、ＮＲＣの中にある真の専門家集団です。ＮＲＣは、ＡＣＲＳの提言を採用するかどうかを多数決で決める。さらに、ＮＲＣがちゃんと規制をやっているかをチェックする組織も内部にあり、米国議会も監視機能を発揮しています。議会は国民から選ばれた代表です。さらに、ＮＲＣ委員長は、その年の規制の方針を宣言することになっている。

**櫻井**　日本の原子力規制だけが世界標準から大きく外れています。ＩＡＥＡから優秀な人材がいないと指摘されているにもかかわらず、その人たちが日本のエネルギー政策の根幹たる原子力を左右し続けているのですから。

**奈良林**　保安院の時代も、同じことが言われてきました。日本の規制のおかしさは、世界でよく知られている。

**櫻井**　保安院の人間が、規制委に横滑りしていること自体おかしいのではありませんか。

**奈良林**　私のようにメディアで解説している人間は、目立つから排除されています。そうすると、原子力に詳しくない人たちが集まってしまう。

**櫻井**　一流の専門家を欠いた規制委・規制庁になっています。これだけ重要な責務を担い、権限を持った組織なのですから、名実ともに一流の専門家が綺羅星のごとく揃っていなければならないはずです。

**奈良林**　米国にはＮＲＣの他にも、専門家団体が二つあります。原発の技術基準の策定、発電所の評価活動、運転員の教育訓練、トラブルの分析評価を行う原子力発電運転協会（ＩＮＰＯ）と、ＮＲＣに対して技術者集団として直言できる能力を持つ原子力エネルギー協会（ＮＥＩ）。二つの組織の機能も含め、更田さんは米国の規制についてよくご存じです。にもかかわらず、二千個の火災報知器ですから。権力は人を変えるんですね。一度権限を握ってしまうと、それ自体が快感になってしまう（笑）。

**櫻井**　総理大臣すら何も言えない地位にいるんですから、権力の絶頂に立ったような思いになっているかもしれません。ただ、私たちは遠慮なく言うことができます。

**奈良林**　間違いを間違いと指摘し、国際的な常識をしっかりと訴えていく。そうしない限り、経済も国民生活も成り立たなくなってしまいます。

## 良心を取り戻せ

**奈良林**　検査すれば安全になると思っているのが、そもそもの間違いです。

すべて絨毯《じゅうたん》爆撃のように検査していては、書類が積みあがるだけ。真にチェックすべきことが何かがわからなくなり、本質的な危険を炙り出せないのです。その結果、福島事故が起こってしまったのです。津波に襲われたら原子炉がメルトダウンする、という一番高いリスクが放置されたままだった。

保安院の下に、技術支援組織としてJNESがあり、三菱重工や日立、東芝から技術者集団が入っていた。二〇〇七年にJNESが出した報告書に「津波リスク」というページがあり、そこに福島事故を予測したような図が載っています。原子炉建屋の敷地に水が入り、冷却ポンプが海水で濡れて機能喪失するという図です。しかし、保安院幹部から圧力がかかり、その図一枚を出すのもやっとだった。掲載の交渉に一週間かかったと聞きました。

**櫻井**　JNESにいた方々は、いま何をされているのでしょうか。

**奈良林**　溶接線の全数検査を主張するような方も含め、かなりの人数が規制庁に入りました。でも、正しい主張が通らずに懲りた優秀な方が電力中央研究所などの民間研究所に移りました。

**櫻井**　絶望的ですね。どうすれば、かつての保安院の双子ともいえる規制委・規制庁を変えることができるでしょうか。

**奈良林**　正しいことを言うのですから、テレビカメラを気にすることなく直言しなければなりません。昨年末、国家基本問題研究所で提言をまとめました(P196に掲載)。更田さんにとっては耳が痛いことも書いてあるでしょう。しかし、首相官邸だけでなく、この提言を規制委・規制庁にも伝える必要が

政治家は勇気をもって原発再稼働を（写真提供：時事）

ありますね。

**櫻井**　当初はきちんとした意識を持っていた方ですから、国民のために、専門家としての良識と良心を取り戻していただくしかありませんね。

## 民主党を追認した自民党

**奈良林**　規制委で地質・地震などを担当する石渡《いしわたり》明《あきら》委員の原発敷地内断層審査についても、日本原子力学会で三年かけて報告書をまとめています。

断層が変異しても、原発の冷却系にはさほど影響はない。リスクを分散させる対策がすでに取られています。むしろ断層の変異そのものより、変異によって生じる地震の加速度の方が耐震設計上は厳しい。耐震評価をすれば、むやみに廃炉にしなくてもいいと、土木や地盤、建築など多くの分野の専門家も交えて報告書を作っています。

**櫻井**　にもかかわらず、現場での審査は「活断層」

でないと証明できない限り、原発再稼働を許さない状況にあります。しかし、それが活断層でないことを証明せよといっても、その証明に必要な地層は、建屋を建設するときに取り除かれています。深い岩盤まで掘り下げられて工事が行われていますから、証明がなかなか難しい。石渡氏らが問題にしている「活断層」は、十二～三万年前の地層です。

**奈良林**　「ないこと」を証明するのは不可能に近い。「悪魔の証明」です。

**櫻井**　政治の責任も大きいと思います。旧民主党政権が日本の原発を潰すという考えの下、保安院から規制委を三条委員会にしてつくった。規制委には原発に恨みを持っているような人たちが少なくない。有り体に言えば、一流の学者というより二流、三流の学者が少なくない。それを国会で正式承認したのは自民党政権にほかなりません。

**奈良林**　菅直人氏は、北海道新聞のインタビュー記事で、「十基も二十基も稼働することはあり得ない。なぜなら原子力安全・保安院を潰して規制委員会を作ったからです。彼らは活断層の議論を始めている」と発言しています。規制委はまさに、菅氏の息のかかった脱原発政策の〝実行部隊〟にほかならない。

古いプラントは四十年超えの審査や安全対策工事費用を高騰させ、新鋭プラントは「活断層」で廃炉宣言させる。このため、廃炉宣言したプラントは二十基を超え、新鋭プラントは敷地内断層の審査を厳しくし、泊三号や志賀二号、浜岡五号、東通一号など、最新鋭原発の審査が進んでいません。国民への損害は何十兆円に及びます。これを黙認している政権はどうかしていますよ。

**櫻井**　自民・公民の与党は、きちんとした議論をしないまま、旧民主党政権の決定をそのまま引き継いでしまいました。さらに、規制委の横暴ぶりをわかっているのに批判を加えず、制度の見直しを行わない。そんな政権与党にも、大きな責任があります。

（『WiLL』二〇二〇年二月号初出）

WiLL SPECIAL 保存版

# 日本のエネルギーが危ない！

目次

CONTENTS

国家の根幹たるエネルギー政策

# 政治家は原発再稼働に向けて勇気を持て！

石川和男
政策アナリスト

**批判を恐れて理想だけ掲げても国民経済は停滞するばかり**

## ゼロリスク神話

　資源に乏しい我が国のエネルギー安全保障、さらに二酸化炭素（$CO_2$）をはじめとする温室効果ガス（GHG）削減へ向けた世界的な動きをみれば、原子力発電の必要性は明らかです。にもかかわらず、原発再稼働へ向けた動きは遅々として進んでいません。その大きな理由として、三・一一以降、反原発派と一部メディアがつくり出した「原子力＝悪」という空気が醸成されてしまったことが挙げられます。

　官邸は「世界で一番厳しい基準をパスした原発は再稼働させる」と通り一遍のメモを読み上げるだけで、自ら主体的に動こうとしません。票を失うことを恐れているのか、国会議員も原発再稼働の必要性を理解していながら声を上げない。その結果、原発推進に慎重な学者から構成される原子力規制委員会と、官僚組織の原子力規制庁に丸投げされている状態です。

　大型航空機の衝突やテロに備える

特重施設をめぐる議論からもわかるように、規制委の下で〝牛歩審査〟がまかり通っています。

チェルノブイリ事故やスリーマイル島事故の後、旧ソ連やアメリカで、すべての原発が停止するなどということはありませんでした。事故の教訓を生かし、より安全な原発づくりに役立てるというのが国際社会の常道。ところが日本だけ、リスクと確率論を冷静に理解することができていません。

ゼロリスク神話に囚われた規制委・規制庁からは、世界標準に合わせた合理的な規制を導入しようという姿勢が微塵も感じられません。電力事業者に対して、ひたすら厳しい態度で臨んでいれば大衆世論の支持が得られると勘違いしているのではないでしょうか。

その結果、原発の安全対策費は増え続けています。東京電力で一兆二千億円、関西電力で一兆円、九州電力で九千億円を超えるという試算もある。加えて、原発再稼働の遅れを埋めるための火力発電比率の高止まりで、化石燃料の輸入も高水準となっている。

膨大な国富が、年間数兆円規模で失われているのです。巨額の費用は、電気料金として一般消費者に重くのしかかっています。さらに、旧民主党政権下で導入されたＦＩＴ（固定価格買取制度）の負担も大きい。エネルギー政策の迷走によって損を被るのは、私たち国民にほかなりません。

## 政治家が覚悟を持って

再生可能エネルギーは、バッテリーの開発など多くの課題を抱えています。技術的なハードルが高いといえます。対して原発は、技術的な問題はすでにクリアしている。つまり、政治的な問題といえるでしょう。したがって、この状況を打破するためには、政治家が覚悟を持って立ち上がるしかありません。

では、具体的に何をすべきか。私は、「原子力正常化臨時措置法」の制定を提言しています。具体的には以下のような順序で再稼働のプロセスを踏めばいいのではないでしょうか。

**①再稼働の優先度の高い原子炉を抽出する**
**②世界標準に合わせた合理的な審査項目を限定列挙する**
**③それらについて、一年以内で事故発生確率を一定水準以下にしたう**

えで再稼働を決める
④優先度の低い原子炉については、継続か廃炉かの判断を立地自治体と再協議する

新規制基準を満たすための工事期間に相当の猶予期間を設定しながら、以下のような条件付きで再稼働を認めるのです。

①フィルターベントの設置
②津波襲来時でも電源喪失しないため、電源強化と原子炉建屋・タービン建屋の水密化
③原子炉建屋・タービン建屋の直下に活断層がないことを確認（取水口付近に活断層が見られても可搬ポンプ車両などの配備があれば冷却可能と同等視）
④緊急時対策室の設置（福島第一原発で実績のある免震タイプでも可）

これは、規制委による新規制基準を否定するものではありません。再稼働後、十年以内に適合させるべきものとして尊重すればいい。原子炉の稼働と新規制基準の適合に向けた審査・工事は、世界中で当たり前に行われていることです。

## 地域振興のチャンス

規制委の了承を得た原発は、都道府県知事の同意を得たうえで再稼働されることになっています。この点についても、政治家が積極的に動かなければなりません。

例えば、首相や官房長官が柏崎刈羽原発を抱える新潟県や浜岡原発のある静岡県を訪れ、「今ある原発を使い切りましょう」と説得すれば、知事も地方議会も最終的には協力してくれるはずです。

原発や再処理施設の受け入れに、住民が不安を感じるのは当然です。その一方で、現地では意外な反応を耳にすることがあります。私は民間人なので、講演会でお金の話もしますが、現実問題として考えたとき、立地地域に対する交付金などが重要なモチベーションになることは事実でしょう。

自治体首長にとって最大の仕事は、地域振興にほかなりません。原発のリスクを過大評価しすぎるあまり、地域経済を潤《うるお》すチャンスを逃すのはもったいないと思います。原発や再処理施設を置くリスクを負担する代わりに、それをはるかに上回る恩恵を受けることができるからです。首

長や地方議員は、「国と交渉して勝ち取ったもの」を住民にアピールすれば、住民の支持も取り付けられるのではないでしょうか。

官僚や政治家、電力事業者は、いずれも「先例のないこと」をやりたがりません。しかし、国民が原子力について正しい知識を得るためには、大胆なやり方で情報発信することも考えるべきではないでしょうか。

例えば、福島第一原発の処理水を海洋放出することは、何ら問題ありません。ところが、メディアが「汚染水」と誤って報じることもあって、いまだに危険なイメージが払拭《ふっしょく》できずにいます。

私自身、福島で処理水を扱う施設を訪れ、処理水の安全性を身をもって体感しました。ただ、国民がわざわざ福島まで行くのは難しい。そこで、処理水を東京や大阪の繁華街やビジネス街、さらには永田町や霞が関に運び、まったく人体に害はないことをアピールする。まさに百聞は一見にしかず。資料を読むより、感覚で安全性を理解してもらうべきなのです。

ほかにも、最終処分場の設置に際して、活断層の有無が高いハードルとなっています。ですが、使用済み燃料を保管するキャスクを自分の手で触ってみれば、地震が起きたくらいで燃料が漏れることはないことがわかる。処理水と同様、感覚に訴えるのが効果的です。

ちなみに、日本の再処理施設では建屋の内部にキャスクが置かれていますが、アメリカではキャスクが野ざらしで放置されています。「ハリケーンに襲われても大丈夫ですか?」と聞くと、「いったい何が問題なのか」と不思議な顔をされました。

## 理想ばかりでなく

昨年、サウジアラビアの石油施設がドローン攻撃を受け、石油価格は二〇%上昇しました。また今年になって、アメリカとイランが一触即発の事態に陥ったことはご承知の通りです。中東情勢によっては、再び石油危機が訪れる可能性を想定しておかなくてはなりません。

根拠なき楽観は禁物です。例えば中国が南シナ海を封鎖したらどうなるか。エネルギー政策は安全保障にかかわる問題、つまり自治体レベルでなく国家レベルで取り組む必要があるのです。

エネルギー基本計画では、二〇三

○年度の原子力の電源比率を二〇～二二%に設定しており、国際社会と協調して取り組むGHG削減も、原発を再稼働させることなしには実現できません。

小泉進次郎環境大臣は、事あるごとに「脱炭素」と口にしています。その一方で、天然ガスが高騰している現状がある。これ以上、国民に高い電気料金の負担はかけることはできないわけですから、理想ばかり掲げるのではなく、国民経済を考慮した現実的な電源構成を検討しなければなりません。

$CO_2$が地球温暖化の原因とされている以上、原子力と再エネの組み合わせしか選択肢はないのです。脱化石燃料は原子力なしに実現不可能です。小泉大臣は、環境省の役人に丁寧なレクチャーを受けるべきだと思います。

## シナリオを提示せよ

経済合理性を考えれば、やはり既存の原発を活用する方向に進んでいくことが望ましいことは言うまでもありません。

旧民主党政権が原発の運転期間を四十年間と決めてしまいましたが、科学的根拠がない数字です。税制・会計的な側面からはじき出されたものにすぎず、技術的な面が考慮されていません。事実、アメリカは一部の原発について、寿命を八十年に延長していますし、ロシアでも六十年の稼働が認められています。

かりに廃炉にするにしても、コストはかかります。本当に止めるシナリオをたてて費用対効果を計算し、廃炉へ向けたシナリオを提示する必要があります。長期化している審査期間を除外して六十年まで寿命を延長し、フル稼働する。震災前の水準まで電気料金を下げ、余った利益は再エネ普及のための送電線整備やバッテリー開発に投資すればいいのです。

国民が納得できるような、現実的、科学的なエネルギー政策が提示されることを願っています。

いしかわ　かずお
社会保障経済研究所代表。一九六五年生まれ。一九八九年、東京大学工学部卒業後、通商産業省（現経済産業省）入省。エネルギー政策、産業保安政策、産業金融、割賦販売・消費者信用、中小企業、行政改革など各般の政策に従事する。二〇〇七年、退官。二〇〇八年、内閣官房企画官。規制改革会議ワーキンググループ委員、専修大学客員教授、政策研究大学院大学客員教授、東京財団上席研究員などを歴任。著書に『原発の正しい「やめさせ方」』（PHP新書）、『多重債務者を救え！貸金業市場健全化への処方箋』（PHP研究所）などがある。

（『WiLL』二〇二〇年四月号初出）

原発再稼働こそ最善の経済・安全保障政策

# 原発ゼロなら日本沈没！

小野章昌
エネルギーコンサルタント

ドイツの失敗をよそに「ゼロ」を主張する人たちの自分勝手と無責任

## 無責任な法案

二〇一八年三月、立憲民主、共産、自由、社民の野党四党が「原発ゼロ基本法案」を国会提出した。長期のエネルギー供給の大切さを忘れた無責任な言動がまかり通っている。

わずか二十年先の二〇四〇年には、現在生産している油田からの原油生産量が三分の一まで減少することを国際エネルギー機関（ＩＥＡ）は予測している。すべての油田のデータを持つＩＥＡのこの予測は正しいと思わなければならない。

一方で、世界の人口は百億人近くまで増える予想である。新興国も開発途上国も、先進国の生活レベル実現を目指してエネルギー確保に全力を挙げるであろう。その結果として、いつ第三次の石油ショックが生じてもおかしくない。

国民の多くが、一九七三年に始まった第一次石油ショック、一九七九年からの第二次石油ショックのことをすっかり忘れ去っている。先人が石油ショック対策の切り札として、原子力発電の開発に全力を挙げたことも忘れている。「原発ゼロ」を進めれば元の脆弱な日本に戻ることを全く見落とした認識だと強く指摘しておきたい。

野党は再生可能エネルギー、とりわけ太陽光・風力が基幹電源になることを前提に政策を考えているが、果たしてそのようなことが可能であろうか？

先行国といえるドイツがその見本を示している。ドイツの「エネルギー転換政策」は見事に失敗しているのだ。

## 自分勝手で他人任せ

ここでは、最初に「原発ゼロ法案」がいかに非現実的で、無責任であるかを明らかにし、次いでそれを裏付けるドイツのエネルギー政策の失敗について分析する。

同法案は、再エネによる「エネルギー転換」が可能であるという勝手な前提の下に、「原発廃止・エネルギー転換は未来への希望であり、気候変動問題の解決の途である」という理念を掲げている。

そして、この基本理念及び方針を国（政府）に差し上げるので、国は法律制定後一年を目途として具体的な推進計画を立てること、原発の廃炉、省エネルギー、再エネ拡大などのために必要な措置を取ることとしている。

これだけ勝手な言い分を盛っている法案も珍しいが、先ずは理念だけですべてが解決するという考えが一番おかしい。

具体的な推進計画は国で作れというのも、一方的で他人任せの無責任極まりないもので、「法案」と呼ぶに値しない主張であろう。通常であれば、具体化のロードマップを付け、自分たちならこうできると示すべきではないだろうか。

電力は毎秒毎秒需要に合わせた供給が必要であり、需要に基づく発電指令（専門用語では給電指令）に応じられるものでなければならない。ここが、基本中の基本だ。太陽光・風力発電は途切れ途切れで常に変動しているため、需要には応じられない。この性質はどこまでも変えることはできない。

したがって、発電指令に応じられる既存の電源（火力・原子力）の代わりを太陽光や風力が務めることは不可能である。むしろ、バックアップ役を務める火力や原子力が無くなれば生き残っていけないといえる。

太陽光・風力を中心に置いて、ガス火力など柔軟性の高い電源で周りから支援すれば基幹電源になり得るという考えを野党の人々は持っているようだ。

しかし実際には、ガス火力の方が基幹電源の役割を務めることができるのであって、太陽光・風力単独では役に立たず、ガスのバックアップがなければ存立できないという点で基本認識が間違っている。

蓄電池を備えれば需要の変化に対応できるという人もいる。それならば、最初から蓄電池を備えて市場に出てくれば良いわけである。固定価格買取制度（ＦＩＴ）などのお世話にはならず、変動の吸収をバックアップ電源に頼って、しかもただ乗りするというような情けないことは避けるべきだ。

蓄電池は蓄える電力量（ｋＷｈ）に限度があって、一～二時間という短期の変動には対処できるものの、一週間の悪天候というような長期の変動の前には無力であり、どうしても火力や原子力の世話になることになろう。

さらに言えば、世界のガス生産も将来は限度を迎え、減少していく。そのような時にエネルギー供給をどうするのか、あまりに能天気ではなかろうか。

おの　あきまさ
1939年、愛知県生まれ。1962年、東京大学工学部鉱山学科卒業後、三井物産入社。64年から65年まで、コロラド鉱山大学（修士課程）に留学。三井物産では主として銅・亜鉛などの資源開発とウランを含む原子燃料サイクルビジネス全般に従事。現在はエネルギー関連のコンサルタントとしてテレビ、雑誌などで提言を行っている。共著に『小池・小泉「脱原発」のウソ』（飛鳥新社）がある。

## 三〇％省エネの無理

「原発ゼロ基本法案」の目玉は、二〇

三〇年までに二〇一〇年比で三〇％の省エネ（節電）を行い、再エネの割合を四〇％まで増やすことである。果たしてそのようなことが可能なのだろうか？

政府の第四次エネルギー基本計画（エネ基）は、経済成長を考えた上で、あらゆる省エネ努力を、産業、業務、家庭、運輸のすべての分野で行うべく、小さな項目ごとに綿密な目標を掲げている。すでに、省エネは最大限盛り込まれているのが現実だ。

それでも、電力消費量は二〇一〇年比でわずかしか減らない。なぜなら、これからの省エネは産業や家庭などの熱源を化石燃料の直接消費から電力に切り替えていく必要があるからである。

また、ＡＩ（人工知能）、ＩｏＴ、クラウド、ロボットなどといった今後の技術革新は、背後に大量のデータ処理を伴うもので、大型のデータセンターをいくつも設ける必要がある。すると、必然的に電力消費は上がっていく。

三〇％の節電では、先端技術を諦《あきら》め、産業を縮小し、国民の生活レベルを落とし、限りなく日本を貧乏な国にすることになろう。国民はだれも支持しないものと思われる。

二〇三〇年に再エネの発電量を四〇％まで拡大するとすれば、現在のエネ基で目標とされている水力・地熱・バイオマスの合計で一四％の供給が実現できると仮定しても、太陽光・風力で残りの二六％を満たす必要がある。

発電量では現在の目標の八・七％から三倍にする必要があり、発電設備量も三倍にする必要があるだろう。太陽光で言えば六千四百万ｋＷを二億ｋＷ近くに、風力であれば一千万ｋＷから三千万ｋＷに拡大する必要がある。

新規の投資額は五十兆円を下らないだろう。すでに存在する火力などの電源設備に加えて建設されるのだから、採算が保証されるものではない。

誰が投資するのであろうか？　ＦＩＴを継続するとすれば国民負担（再エネ賦課金の累積）は年間兆円単位で膨れ上がっていく。国民が納得するのか？　土地はあるのか？　送電線はあるのか？　疑問が絶えることはない。

## ドイツの社会実験

先行国ドイツの例を見ると、太陽光・風力発電を増やしても二酸化炭素（$CO_2$）などの温室効果ガス（GHG）がなかなか減らないことが分かる。

　太陽光・風力の年間稼働率が低く、火力発電に大きく依存するためである。原子力を止めると一気に$CO_2$排出量が増え、元に戻すまでに長い年月を要することになるのは、ドイツや我が国がすでに経験したことである。

衆院の阿部優子事務次長（左から４人目）に「原発ゼロ基本法案」を提出する立憲民主党の長妻昭代表代行（同３人目）ら野党４党の議員（写真提供：時事）

　それにもまして、「原発ゼロ基本法案」では$CO_2$を出さない非炭素電源（再エネ）の割合が四〇％とされていて、エネ基の四四％（再エネと原子力）から下がっている。これでは最初から$CO_2$削減を諦めているとしか言いようがない。

　我が国が国連に提出した約束（二〇一三年度比で二〇三〇年度までにGHGを二六％削減）を達成できない法案を初めから出しているのである。

　以下に示すドイツの「社会実験」の結果を見れば良く分かる。ドイツではエネルギー転換政策の結果、電力供給の基本三要素である3E（安定供給、経済性、環境性）がいずれも改善されておらず、逆に悪化しているものが多い。

　隣国と電線で繋がっていない我が国では、ドイツ以上に安定供給に支障が生じるであろう。原発を止めると肝心の$CO_2$削減が進まないことも明白になっている。

　ドイツは二〇〇〇年から十八年間にわたって、「エネルギー転換」政策を強力に進めてきた。既存の火力や原子力を太陽光・風力を中心とする再エネに置き換え、地球温暖化の原因であるGHGの排出量を減らすことを第一の目的に据え、さらにエネルギー自給率を高めて電力の安定供給力を確保し、国民に安い電力を供給することを目指した。

　だが、実際はどうなったか。ドイ

ツは、自国のエネルギー政策の検証をしない国なので国民は知らされていないが、これらの期待はすべて裏切られているのが実情だ。〈図1〉は$CO_2$排出量の推移を示すものだが、再エネでは最大の目的であった$CO_2$削減には繋がっていない。

とくに、二〇〇四年八月の「再エネ法」施行で太陽光発電の買取価格を引き上げ、急激に太陽光・風力発電の設備を増やしていったものの、$CO_2$排出量は二〇〇九年の九億七百万トンから、二〇一六年、二〇一七年は九億六百万トンと下がっていない。

また、二〇二〇年に一九九〇年比で$CO_2$を四〇%削減するという目標達成が絶望的なことが分かる。紆余曲折を経てやっと成立した連立内閣も、削減目標の達成が不可能なことを国民にしっかりと説明せざるを得ないだろう。

## 希薄なエネルギー源

では、どうして$CO_2$排出削減に寄与できないのであろうか？　それは太陽光・風力がもともと希薄なエネルギー源で、途切れ途切れになることが避けられず、常に変動する性質を持つことからくる結果だといえよう。

発電設備の有用性は、その稼働率（年間にフル出力換算で働く時間数の割合）で見ることができるが、ドイツでは昨年の太陽光の年間稼働率は一〇・六%、陸上風力の稼働率が一九・七%であった。火力や原子力の稼働率が通常八

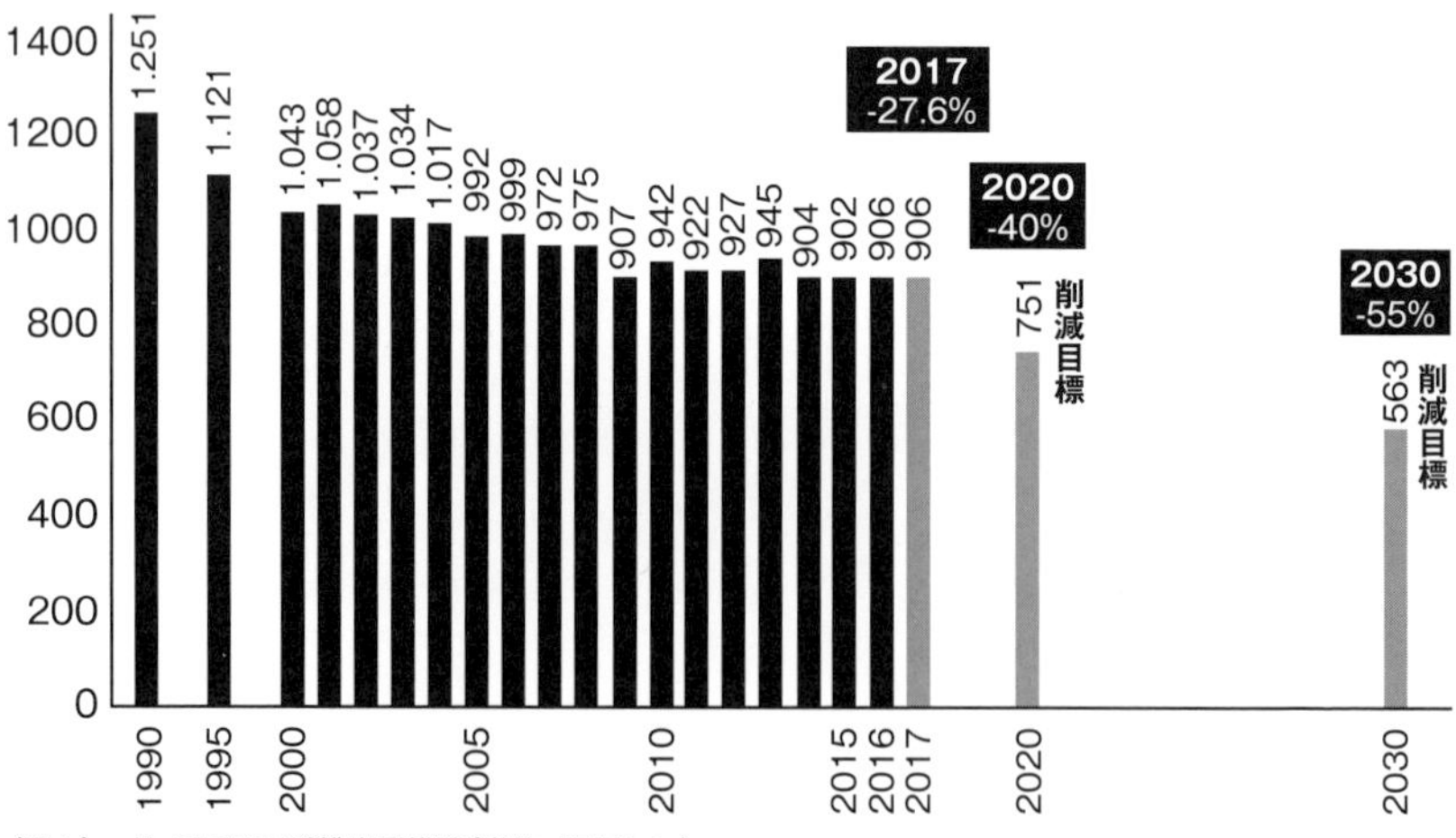


〈図1〉　ドイツのCO²排出量推移（単位：百万トン）
出所：Agora　Energiewende　2017年速報レポート

〇%程度であることを考えると、大きく見劣りする。

このように、ドイツの太陽光発電は年間平均で一一%程度の時間しか働かず、残りの八九%を火力発電に頼ることになる。つまり、ドイツで供給される電力の炭素排出係数（一kWh当たりのCO$_2$排出グラム数）はなかなか下がらず、したがってCO$_2$削減にも繋がらない。

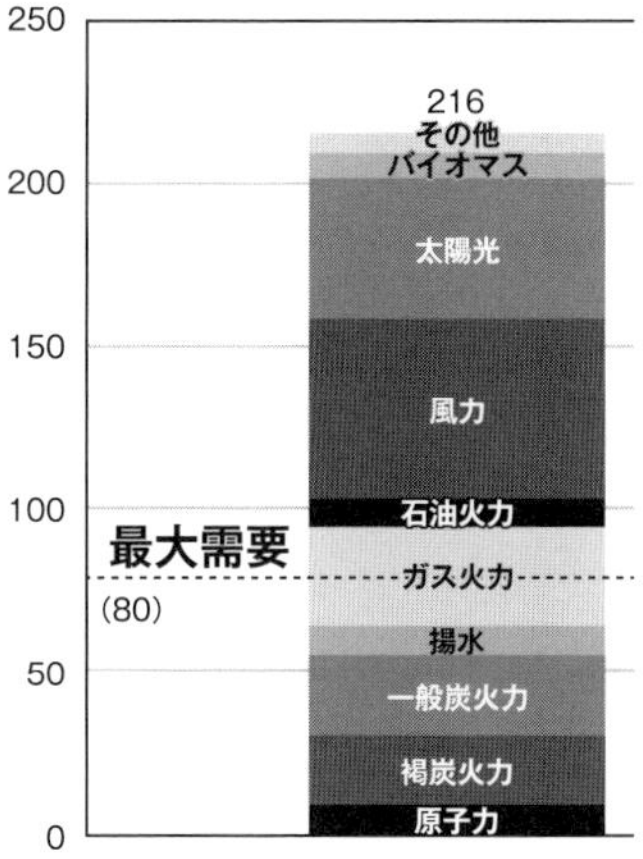

〈図2〉過剰な発電設備（二〇一七年現在、単位：百万kW）出所：Agora Energiewende 二〇一七年速報レポートより筆者作成

二〇二二年に全ての国内原発を停止させる計画だが、そうなると一気に排出量が増え、それを元に戻すには、原発の七倍（八〇%÷一一%）の太陽光発電設備ができるまで待たねばならない。

## エネルギー転換の失敗

太陽光・風力は自然任せで、需要に合わせた発電ができない。発電は常に需要に合わせる必要があるが、そのためには電力会社の発電指令に応じることが必須となる。したがって、それができない太陽光・風力は、以前からある火力発電や原発の代わりを務めることができない。

たとえば原発は、発電指令に応じて二十四時間、三百六十五日運転できるが、太陽光や風力では望むべくもない。ドイツでエネルギー転換ができない大きな理由である。

現在、ドイツでは太陽光・風力発電の設備が一億kWという大きな量となり、最大需要（約八千万kW）の一・二五倍にもなった。

しかし、こうした再エネ電源は既存電源の代替能力を持てないため、単に屋上屋を重ねる結果となり、ドイツ全体の発電設備量が最大需要（kW）の二・七倍近くに膨れ上がっている（〈図2〉参照）。

どのような業界でも生産設備が過剰な場合、設備調整を行う必要がある。たとえば、コメの場合には減反という形で生産を調整している。このようにドイツでは発電設備の調整を行う必要が生じるほど設備が増えすぎている。

どれを退役させるかというと、一

番役に立っていない、すなわち発電指令に応じられない太陽光・風力発電設備ということになろう。

また、過剰な発電設備は悪い副作用をもたらしている。太陽光・風力による電気が優先的に買い取られて電力網に受け入れられるため、バックアップ役の火力発電は自らの発電量（ｋＷｈ）を犠牲にすることを求められ、それだけ販売数量が減る。

さらに、送電事業者によって一度買い取られた太陽光・風力の電気が卸売市場に安値で売りに出されるため、ドイツの卸売市場価格は下がり続け、現在は二〇一一年時点に比べて半値以下になった。

つまり、火力発電は販売数量と販売価格の両方でダブルパンチを受ける格好となり、ドイツ最大の電力会社であるエーオン社は、二〇一六年決算で一兆九千億円、第二位のＲＷＥ社は六千八百億円もの巨額赤字を出した。一過性の費用があったとはいえ、火力発電の採算悪化が最大の要因であった。

このようになるまで電力会社を追い込んではいけない。電力会社が経営破たんしたり、多くの火力発電設備が退役したりしたら、支えを失う太陽光・風力は存在できなくなるからである。

さらに、制度による買取価格と安い市場価格との差は「再エネ賦課金」として消費者が負担しなければならない。その結果、ドイツの家庭用電力料金は年々上昇を続け、今や二〇〇〇年当時の二倍近く、日本円で四十円／ｋＷｈと世界トップクラスの高いレベルになっている。

我が国が二十五円／ｋＷｈ程度であることを考えるとその高さが分かるであろう。標準的な四人家族の家庭が毎月支払う賦課金は二千五百円を超えているという。

ドイツでは、風が強く吹くのは北部で、自動車などの産業が立地しているのは南部であるため、風力発電を活用するには北から南への送電線の建設が必須となっている。

しかし、住民の反対もあり、計画された八千キロメートルのうち、わずか七百五十キロメートルしか建設されていない。送電線の地下埋設を求める州も多く、これからの送電コストはますます上がっていくことが予想されている。

このように、電力料金は上がることはあっても、下がる要素は全く見受けられない。安価なエネルギーの供給という転換政策はここでも失敗ぶりを露呈している。

## 制御不能な自然エネルギー

過大な太陽光・風力発電設備は電力の安定供給にも不安の影を落としている。太陽光・風力は気象条件や昼夜によって大きく左右されるので、設備量が増えた場合には時間帯によって過剰な発電を行い、お互いの足を引っ張りあう現象が生じる。「共食い効果」と呼ばれる現象で、本来なら太陽光・風力の一部を止める必要があるのだが、優先的に扱われるために国内では消費できない発電が行われ、隣国に押し出される結果を生んでいる。

ドイツは隣国（オーストリア、オランダ、ベルギー、フランスなど）と電線が繋がっているため、余剰分を輸出することが可能だ。

昨年の余剰輸出量は六百二億キロワット時と国内消費量（六千億キロワット時）の一割に達するまでに増えた。隣国が自らの火力発電の出力（kW）を絞って受け入れてくれる間はこのようなことが可能だが、将来的には隣国の受け入れ能力にも限度が出てこよう。

電力は需要に合わせて作るものであるのに、このように過剰な発電を行うのは邪道である。それはひとえに制御の利かない自然エネルギーに由来するもので、我が国のように隣国と繋がる電線がない場合には、電圧が上がり、周波数が高くなる。

周波数が限度を超えると半導体製造などの先進工場は操業を止めざるを得なくなり、電圧が限度を超えると電線が熱を帯びて垂れ下がり、停電の危険が増していく。このように、ドイツの「エネルギー転換」政策は太陽光・風力発電の設備量を増やすことには成功したが、既存の火力や原子力に置き換わることはできず、いたずらに屋上屋を重ねて過剰な発電設備を生む結果となった。

太陽光・風力の優先受け入れは、下支えする火力発電の発電量を犠牲にして採算を悪化させ、電力会社に大きな赤字をもたらした。電力料金は上昇を続け、今後も消費者の負担は増していく。過剰な設備は過大な発電を生み、電力系統を不安定にして停電のリスクも増す。

日本で「原発ゼロ基本法案」を訴える人々が理想のように取り上げるドイツの「エネルギー転換」政策は、見事に失敗に帰しているのである。

（『WiLL』二〇一八年五月号初出）

# エネコン通信

日本エネルギー会議
Japan Energy Conference

## 日本のエネルギー政策 混迷続ける本当の理由

福島第一原子力発電所事故から九年が経過した。既設原発の再稼働はなかなか進まず、新増設を含めた新型原子炉開発の議論も前進する気配がない。このままいくと、政府が決めた二〇三〇年度の電源構成目標は達成できず、地球温暖化問題への国際的対応もおぼつかない。根源は、原子力政策に対する政治、行政の忌避にある。電力会社は、電力自由化の進展と原発の将来見通しが立たない中、「国益」を語る余裕さえない。

### 曖昧にされた国の責任

原子力利用は、政治主導の「明確な国策」としてスタートした。アイゼンハワー米大統領が国連総会で行った「原子力の平和利用演説」を機に、中曽根康弘・元首相（昨年十一月、百一歳で死去）ら政治家が瞬時に動いた。一九五五年十二月には原子力基本法が成立、科学技術庁長官（当時・国務大臣）が委員長を務める原子力委員会が設置され、原子力政策の「司令塔」の役割を担い続けた。この間、日本は原子力利用を国づくりの基礎とするべく、米国から多くの技術、知識を学んできた。

ところが、時代とともに「国策民営」へと変貌していく。中東原油にどっぷり依存していた日本経済、国民生活は、二度にわたる石油ショック（一九七三年と一九七八年）で大きな打撃を受け、燃料費の高騰で電気料金は二倍に跳ね上がった。政府や電力業界は「脱石油政策」の柱として、原発の新増設に取り組んだ。それは、政策、制度面の対応は国、運用面は事業者が担うという構図につながる。原発をめぐる責任の所在を見えにくくしていったプロセスでもある。

「明確な国策」から「国策民営」への流れを決定づけたのは、二〇〇一年一月の中央省庁再編。原子力委員会の実質的業務を担ってきた旧科学技術庁が解体され、研究開発部門は文部科学省、安全基準や規制を担う原子力安全部門は経済産業省に新設された原子力安全・保安院に移管。エネルギー政策全体を担当する資源エネルギー庁と保安院が経産省の傘下に置かれ、幹部人事も経産省一体で行われた。

こうした歴史の中で福島事故は起きた。第一次的な責任は東京電力にあるものの、巨大津波による全電源喪失を想定せずに運転させていた責任は保安院にあると専門家は指摘する。米国では同時多発テロ（二〇〇一年九月）を受けて米原子力規制委員会（NRC）が「全電源喪失対策の強化を含む指令」（B5b）を非公開で出し、対策強化が実施されていた事実は見落とせない。国会審議などでも取り上げられているが、NRCは二度も保安院にこの対応を伝えていたという。

「重要情報」は電力業界に周知されることなく、事故に至った。規制当局の責任論のポイントはここにある。

だが、福島事故の損害賠償をめぐる民事裁判、強制起訴された元東電首脳らの刑事裁判でも、B5b問題が「争点」に取り上げられた形跡はない。

旧民主党政権は、二〇一一年五月十七日に開かれた原子力災害対策本部（本部長・菅直人首相）で「原子力政策は資源の乏しい我が国が国策として進めてきたもので、被災者は国策による被害者。国が前面に立ち責任を持って対応する」との基本方針を決めた。ところが、そのころのメディア報道を振り返ると、政府が国に責任はなく東電の責任だとアナウンスしていた印象が濃い。「国策」と明言しながら「責任なし」では筋が通らない。

政府は責任整理がつかないまま、東電の実質国有化と電力システム改革という名の自由化を進めた。長期的視点が求められる原子力政策と目先の利益が優先される自由化とは相容れない性格を持つ。地球温暖化対策の重要性が叫ばれる中、脱炭素・安定電源と位置付けられる原発を排除するのは非現実的。原発に全く触れず、温室効果ガス削減を語るのは、期待を込めた空想論の域を出ない。

問題の本質は、「国の責任論」。そこに踏み込めないから、政策や目標のつじつまが合わない。真の原因を示してブレークスルーを実行・実現するしかない。石油ショック後の一九七七年、当時の福田赳夫首相が打ち出したエネルギー省構想が浮かぶ。総合的なエネルギー政策を立案、責任を明確にした実行力ある組織の創設を考えるときではないか。

日本エネルギー会議：代表・柘植綾夫、発起人代表・有馬朗人

原発再稼働こそ最善の経済・安全保障政策

# 無責任な反原発でいいのか

石川迪夫
元日本原子力技術協会最高顧問
諸葛宗男
元東京大学公共政策大学院特任教授

現実を直視することなしに、次の百年を見据えた国家シナリオは描けない

## 進まない再稼働

**石川** 福島事故から約九年が経つというのに、原発再稼働が遅々として進んでいない。この現状は、今後の日本にとって悲観材料だね。

**諸葛** 国内に五十四基あった原発のうち、二十四基は、既に廃炉が決まってしまった。原子力規制委員会による適合性審査に合格したのは十六基だけ。現在、十一基が審査中です。

**石川** 安全審査に、なんでここまで時間がかかるんだろう。約千人もの職員を抱える規制委は、果たして真面目に仕事をしているのか。疑念の目を向けられても仕方がない。

**諸葛** これまで八原発、十六基に合格証が発行されているが、各原発の合格のインターバルは、平均で六・五カ月。このままのペースを続けていると、審査中の十一基に許可が下りるまで、あと五年もかかってしまう。準備中のものも合わせれば、全ての審査が終了するのは二〇二九年ということになる。

**石川** 規制委発足当時、田中俊一委

員長は、新基準での審査は「並行して進め、半年で許可する」と発言していた。ところが蓋を開けると、一基当たり申請から認可まで平均三年半以上もかかっている。

この点について問われた田中さんは、記者会見で「半年とは相場観での発言」「実際の審査期間は言えない」とはぐらかしたが、無責任な話だよ。

**諸葛**　かつては、変更点だけを審査していたから、それまでと何が変わったかだけを見ればよかった。ところが今は舐め回すように、一から全て審査すると聞く。だから時間がかかってしまうようだ。

**石川**　昔の申請書は、数百ページ程度で、誰でも簡単に読むことができた。今は数万ページにも及ぶ膨大な量の申請書となり、一人で全体を読み直すことは不可能になっている。当然、審査が長期化することも分かっていたはずだ。

**諸葛**　規制委は、「規制基準を満たしていること」だけを審査し、安全の判断は申請者の責任と言っている。責任感を欠いている。

**石川**　昔の審査は、原子炉の安全を目的とするものだったから、経験済みの同型炉は半年ほどで結論が出ていた。ところが、今の審査は発電所敷地の地盤に焦点が当てられていて、敷地だけが極端に厳しくなっている。

**諸葛**　例えば敷地の地震加速度は、担当委員の思い通りの数値になるまで審査を繰り返しているそうだ。これは、審査に名を借りた「自説の強要」というほかない。これでは公正な審査は期待できない。

**石川**　なぜ原発に安全審査が必要なのか、何をもって安全とするのか、原子力を使う国は何をしなければならないか。国民が理解できる形で審査を行うべきだろう。その大前提を怠ったまま勝手なことばかりやっているのが、今の規制だ。

## 理想とかけ離れた現実

**石川**　規制委のホームページには、①独立した意思決定②実効ある行動③透明で開かれた組織④向上心と責任感⑤緊急時即応、という五原則が示されている。並べられた言葉こそ素晴らしいものの、実態は原則とかけ離れていると言わざるを得ない。もし、五原則を順守していれば、ここまで時間が浪費されるわけがない。

**諸葛**　実質的な安全確保は電力会社が責任を持って行っている。電力会社、メーカーの試験に合格した原子

いしかわ　みちお
1934年、香川県生まれ。東京大学工学部卒業。1957年、日本原子力研究所へ入所。安全解析部長、動力試験炉部長、東海研究所副所長などを歴任。1991年より、北海道大学工学部教授。その後、2005年から日本原子力技術協会の初代理事長、最高顧問を務める。現在は、原子力デコミッショニング研究会会長。

炉を改めて国が立ち会い検査をしているのが実情で、専門性の乏しい役人が原子炉の細かいチェックをできるはずがない。

**石川**　昔は、通産省（現・経産省）の中にも発電所一筋という人や、原子力に堪能な役人がいた。現在は、何も知らない人たちが集まって「ああでもない、こうでもない」と言っている。だから、一向に話が前へ進まない。

**諸葛**　二〇〇一年の省庁再編で、原子力安全・保安院ができた当初は、理系出身者が幹部に登用されていました。それが徐々に変わっていき、文系出身の経産官僚で要職を回していく人事になってしまった。

**石川**　象徴的だったのは、省庁再編で旧科学技術庁が解体されてしまったこと。規制が経産省の管轄になり、技術開発は文科省の仕事になり、原子力委員会の運営は内閣府が行うことになった。原子力行政が分断され、縦割りになって、原子力への理解が深まらないまま、人数だけが増えてしまったね。

**諸葛**　経産省が審査を始めた頃、「そんな図面を出すな」と言われたことがある。「どうしたらいいんですか」と尋ねると、超簡略化された資料を見せられた。

言われた通りのものを急ごしらえで作ると、今度は電力会社出身の審査官が出てきて「これでは判断できない。君たちはいつもこんな図面で設計してるのか」と言ってくる。

仕方がないから軽トラックに積ん

で運ぶほど膨大な資料を何晩も徹夜して作って持っていくと「多すぎて審査できるわけがない」と言う（笑）。結局、審査に必要な情報だけを残して三度目の申請書を作らされた。

　今の規制委から、具体的な修正を指示されることはないらしい。審査にあたって「こういう風にしたらい」と助言してくれない。本当は「正解」を持っているのに、事業者から出してくるのを待っているだけ。

## 政治・メディアの怠慢

**諸葛**　福島事故が起きた当時、政権を担っていたのは原子力嫌いの民主党だったのはツイてなかった。

**石川**　あの時の総理大臣が菅直人さんだったのは、日本にとって悲劇としか言いようがない。

**諸葛**　国会事故調は、福島事故の原因を地震と決めつけ、しばらくは地震と地盤の話ばかり。実際の報告書にも、地震で配管が破断して冷却水が抜け、メルトダウンした旨が記された。

　ところが、その後の規制委の検討チームでも、実は福島の事故は配管破断が原因ではないということが確認されていた。ところが、この事故調の報告書が、今でも国会では大手を振って通用している。

**石川**　もともと日本は、何かあるとすぐに原発を止める癖がある。一九七九年にアメリカで起こったスリーマイル島事故では、日本の原子力安

もろくず　むねお
1946年、東京都生まれ。東京大学工学部原子力工学科（現・システム量子工学科）卒業。1970年に東京芝浦電気（現・東芝）入社。核燃料サイクルの開発に携わる。原子力事業部技監を最後に同社を退職。2006年から2013年まで、東京大学公共政策大学院特任教授。福島第一原子力発電所事故について、数多くのメディアで発言している。

全委員会が動揺してしまい、PWR（加圧水型原子炉）の運転停止を命じた。ところが当事国のアメリカでは、スリーマイル島以外の原発を稼働させ続けた。この違いは大きい。

**諸葛**　東日本大震災で停止したのは、五原発の十五基だけです。それ以外の原発は全て正常に稼働していた。にもかかわらず、なぜ全て停止に追い込む必要があったのか。

結局、原子力に対する明確な考えを持たないまま、何も知らない政治家と役人が勝手な判断を下してきたようだ。

**石川**　政治家の怠慢は、いまだに原子力アレルギーを克服できずにいる国民にも責任があると思う。選挙が第一優先の政治家は、原子力について下手に波風を立てるより黙っていた方が得策だと考えてしまう。

現実と向き合い、民意を正しい方向に導くのが政治家の役目だろう。

**諸葛**　国民の理解が進まない原因を突き詰めれば、メディア報道に行き着くかもしれない。

視聴率を気にするテレビは、真剣に考えなければならない事柄でも面白おかしく報じてしまう。福島事故を題材にした「お情け頂戴」ドキュメンタリーに共感し、「東京電力＝悪」「原子力＝悪」と憎しみの感情に動かされる人が多いことは確か。

高齢の固定読者を維持しなければならない中、偏った主張を並べて一定のファンを取り込もうとしている新聞もみられる。

**石川**　本来であれば、科学的な視点から原子力の安全性を検証する番組や紙面作りに努める必要があるはずだろう。マスコミの公共的使命は、既に失われているのかもしれない。

## 憲法改正問題と共通するもの

**諸葛**　憲法改正や沖縄の基地問題も、賛成派と反対派が両サイドから大きな声を上げ、その間にいる残り七割の国民は、何も考えていない。そんな構造のまま、何年も議論が平行線をたどっている。

原子力の問題にも似たような傾向がみられると思う。例えば、過去何十年もの世論調査を眺めると、原発への「賛成」「反対」「どちらでもない」の割合がほとんど変わっていない。

**石川**　ただ福島事故以降、反原発派の声がより大きくなっている。いま全国各地で原発の運転差し止めを求めて仮処分申請や訴訟を起こしているのも、反原発グループの活動家や弁護士たち。そして、彼らの声がメディアによって大きく取り上げられてしまう。

**諸葛**　彼らは、規制委に対する我々の批判ですら、「推進派も批判しているじゃないか」と利用する。

**石川**　日本の民主主義は細かいことに小うるさく、国家の大事となると途端に見猿、言わ猿、聞か猿。この国民的な保身術が、国家の衰えを招いてしまっている。戦後七十三年の今、この態度を変える必要があるだろう。

その一方で、中国やロシアといった独裁国家が原発を積極的に推進している。民主主義国家が原子力分野から撤退することは、世界にとっても歓迎すべきことではない。

**諸葛**　ただ不思議と、ちょっとした一つのきっかけで事が大きく動き始めるのも日本の特徴のように思う。熱しやすく冷めやすい国民性なのかもしれない。

かつての安保闘争は、死者まで出すほど過激なものだった。ところが、あれだけ騒いでいたにもかかわらず、いま「安保反対」なんて言う人は共産党以外いませんよね。

**石川**　いずれにせよ、「無関心」の壁を突破して有意義な議論をしなければ、次の百年を見据えた国家シナリオは描けない。

## 長期的視点を持て

**石川**　日本の場合、貴重な科学技術向上の成果をマスコミは一切報じない。例えば、原子力船むつは修理後、太平洋を四回にわたって航行し、嵐の中にまで突入して良いデータを取った。

にもかかわらず、活動家の反対運動を受けて原子力船が運用できなくなったから、その技術が活用できていないまま。これは国として重大な損失で、高速増殖炉もんじゅから得た知見も、次の技術、次の時代のために活かすべきだろう。

最先端技術が詰めこまれた原子力分野の業績をおろそかにすれば、いずれ国力低下に繋がってしまう。

**諸葛**　原子力だけにとどまらず、最近は長期的な視点を持つ日本人が少なくなったような気がする。

**石川**　そのためか、企業の短命化も叫ばれている。かつては「鉄は国家なり」と言われ、とりあえず鉄さえ作っていれば、その企業は百年は生きてこられた。ところが、情報化社会によって製品の消費サイクルが縮み、一つの商品の寿命が短くなってしまった。

**諸葛**　私の古巣である東芝は原子力と半導体、そして家電という三本柱で長期・中期・短期事業のバランスを取っていた。でも今や、原子力事業は国内の維持だけで、半導体も売却してしまった。果たして東芝が今後、家電だけでやっていけるのか、心配でならない。

**石川**　かつて日本が戦争に向かったのは、エネルギー資源の不足が原因と言われている。そして戦後は、そのエネルギーの確保が高度成長を支え、第一次、第二次石油ショックで経済が大打撃を受けた。

そんな背景で原子力の比率を伸ばしてきたのが、三・一一までの歴史というわけだ。世紀をまたいで、一時日本が世界第二位の経済大国となったのは、原子力エネルギーの力に負うところが大きい。

今では、石油ショックを肌感覚で知っている国会議員の数も減り、ましてや日本がエネルギー問題で悩まされてきた歴史を知る国民もほとんどいなくなった。原子力技術を継承するためにも、まずは基本的な歴史と哲学を知る必要がある。

## 電気を食べて生きている

**石川**　なぜ電気が必要なのか、それは「単位」が教えてくれる。電気の単位はキロワット時で、食料の単位はカロリーだが、この二つは換算できる。円とドルが交換できるのと同じように、同じエネルギーだからこそ、電気と食料は換算可能なわけだ。

動物は餌があれば繁殖するが、人間もエネルギーを使って数を増やしてきた。約二万年前の狩猟生活時代、約八百万人だった地球人口は、農業を覚えて安定的に食料を手に入れると、中世には約二億人になった。それが産業革命以降、石炭、石油や原子力を源としたエネルギーを使い、いまや世界人口は約七十億人にまで増えた。

人間はエネルギーを有効に使って繁栄してきたが、エネルギーは人間にとって食料と同じ。生きていくうえで大切なものだ。

**諸葛**　今後も世界の人口は右肩上がりに増えることが予想される。人類を食べさせていくためには、原子力エネルギーが今以上に必要とされる時代がやってくるだろう。

日本に限れば、間違いなく人口は減っていく。ところが、電力需要が減ることはあり得ない。ガソリン車が電気自動車か水素自動車に切り替わり、我々の生活も電化が進むでしょうが、そうなるとむしろ消費電力は増える。いずれにせよ、時代は原子力をますます必要とするだろう。

**石川** 民主主義国家の規制とは、国民に過大な負担を強いないこと、これが前提。独裁国家の厳しければ良いという規制とは違う。

原子力規制は、あくまで国民生活に害を与えないよう、原子力を安全に利用するためにあるもの。その規制が、国民に過大な経済的負担を強いるようでは、本末転倒だ。

アメリカの原子力は九〇年代に復活したけど、その理由は、地球温暖化への危機感だが、今一つに、規制の変化がある。

アメリカの原子力発電のシェアは約二〇%だけど、七〇年頃に建設された原子炉が多く、寿命を四〇年に設定したままでは、二〇一〇年代に原発が一斉に廃炉になってしまう。

これを憂慮したNRC（米国原子力規制委員会）は、九〇年代中頃に電力会社の社長を集めて、原発寿命を六十年に延ばすことを提案した。ところが社長連が「NRCの規制が厳しく、思うような経営ができない」と拒否した。その結果、NRCは運転管理の規制方針を変え、新しい原子炉監視プロセス（ROP）を導入したという裏話がある。

ROPとは、サッカーのイエローカードのようなもので、運転管理における一つのミスは許されるという緩やかな規制。この規制変更によって、アメリカの原発稼働率は九〇%を超えるようになった。

**諸葛** 電力会社は既に、一基で何千億円も投入して原発を作った。そして、それを生業にしている地元も存在する。採算が取れる間は使えるものは使えばいいと思っている。

ところが、地盤や地質の問題に過剰な金銭的、時間的コストをかけている状況が続けば、いずれ電力会社は音を上げて原子力から手を引いてしまうことになりそうだ。

**石川** アメリカであれば、電力会社が政府相手に損害賠償訴訟を起こしていると思う。日本の場合、メディアと世論からのバッシングが恐いから、電力会社はなかなか行動に移せていない。

**諸葛** 事の本質から逃げ続けているようであれば、日本は衰退の一途をたどってしまう。

（『W・i・L・L』二〇一八年十月号初出）

原発再稼働こそ最善の経済・安全保障政策

# 中国 原発で世界制覇の野望

松岡豊人
海外電力調査会調査第一部長

政府主導の原発推進、多彩な次世代炉、充実の人材育成……日本と中国の差は開くばかり

## 原発をめぐる日中の格差

世界の原子力関係者は、二〇一八年六月、中国から次々に届くビッグニュースに驚きの声をあげた。

六月六日には、フランス原子力大手のフラマトム（旧アレバ）とフランス電力（ＥＤＦ）が中国広核集団公司（ＣＧＮ）と建設した広東省・台山原子力発電所一号機が、原子炉での核分裂が持続的に進む臨界に達し、同二十九日に送電を開始。最新鋭原発の一つに数えられる欧州加圧水型原子炉（ＥＰＲ）が、世界で初めてとなる営業運転開始に向けて大きく前進した。

同二十一日には、東芝傘下だった米ウエスチングハウス（ＷＨ）、原子力エンジニアリング会社の中国核電技術有限公司（ＳＮＰＴＣ）が、中国核工業集団公司（ＣＮＮＣ）と建設中の浙江省・三門原発一号機も初臨界を達成、同三十日から送電を開始した。同原発には、ＷＨが米原子力規制委員会から最終設計認可を得ているＡＰ１０００が採用されてお

**まつおか　とよと**
神奈川県生まれ。1979年、東京大学卒業後、東京電力入社。米ハーバード大学国際問題研究所アソシエイトなどを経て、2006年に国際部部長代理。2008年、企画部部長。2011年に北京事務所長。2015年から、一般社団法人海外電力調査会調査部門調査第一部長を務める。

り、こちらも世界初の営業運転入りが視野に入った。

　さらに、中国で二番目のＡＰ１０００建設プロジェクトとなる、山東省・海陽原発一号機も原子炉に燃料集合体を入れる燃料装荷が許可され、初臨界となった。

　いずれの原発も、欧米ではプロジェクトの大幅な遅れが発生する中、中国が先行する形となった。中国の原発開発だけが、着実に前進している現実を世界に印象付けたといえる。

　日本は長い間、米国、フランスに次ぐ世界第三位の原子力発電国であった。一九九八年には国内総発電電力量に占める原発比率は三六・四％に達し、二〇一〇年でも二九・二％だった。

　しかし、二〇一一年三月の東日本大震災の津波被害による福島第一原発事故は、日本の原子力発電を取り巻く事業環境に大きな影響を与えた。福島第一原発の原子炉六基だけでなく、全国各地の原発で二〇一三年に施行された新規制基準に適合するための投資が多大になると見込まれ、投資回収や将来の予見性といった経済性などを理由に古い原子炉の廃止が次々に決定されていった。

　二〇一八年六月時点では、新規制基準に適合して再稼働した九基を含め、廃炉決定しておらず、今後、稼働に向かう可能性がある原子炉は三十九基、合計設備容量は三千八百五十六・六万ｋＷとなった。二〇一一年三月の五十四基、四千八百八十四・

七万kWから一千万kW以上もの急激な減少である。

一方、中国では福島第一原発事故後に二十五基、二千五百九十八・七万kWが新たに運転を開始しており、総発電電力量に原発の占める比率は二〇一七年には三・九%になった。

二〇一八年六月現在、中国で営業運転中の原子炉は三十八基、設備容量は三千六百八十六・七万kWに達し、冒頭に紹介したEPRやAP1000の営業運転も見込まれる。日本では福島第二原発四基の廃炉計画の発表もあり、中国が日本を今年中に追い越し、世界第三位の原子力発電国に躍進するのは確実だ。

日本の原子力発電事業者は民営電力会社十社である。一九六〇年に日本原子力発電が東海原発を着工、一九六五年に運転を開始した。次いで関西電力、東京電力など大手電力九社が加わり、電源開発も大間原発を建設中である。一方、原子力発電の技術開発、プラント設計、機器製造、据え付けなど建設・保守工事は、三菱重工、日立、東芝など原子力プラントメーカーが担っている。

これに対して、中国の原子力発電事業は①国営事業②軍事部門を担う核工業部（原子力省）が母体③事業者が自ら技術開発、設計、建設部門を組織内に抱えて建設工事でも中心的な役割を果たす——など、日本とは体制が大きく異なる。

核兵器技術は一九五五年に開発をスタート。一九六四年には核実験に成功したが、原子力発電の導入は遅れた。中国初の原発は一九九一年に初臨界した浙江省・秦山I期原発（加圧水型軽水炉・CNP300型、出力三十一万kW）であった。

## 政府主導で推進する中国

中国の原発事業者は、政府の原子力部門の直営事業である中国核工業集団公司（CNNC）、フランスの技術を基に広東省で開始した国営事業の中国広核集団公司（CGN）、政府の電力部門が設立した国営の国家電力投資集団公司（SPIC）の三社がある。

CNNCの前身は、核工業部が一九八五年に着工した秦山I期原発の事業者として一九八九年に核工業部から分離独立した中国核工業総公司である。秦山I期原発は三菱重工など海外の支援を仰ぎ一九九四年に営業運転を開始した。同社は一九九九年に中国核工業集団公司（CNNC）

世界初の営業運転に向かう欧州加圧水型原子炉を採用した中国・台山原発＝中国国家核安全局ホームページから

に改組され、燃料供給も含めた原子力分野の中心企業として現在、原子炉十八基、設備容量千五百四十万kWを運転している。

　CGNの前身は、フランス製加圧水型原子炉（PWR）を導入し、広東省・深圳市近郊に建設された広東大亜湾原発一、二号機（M310、九十八・四万kW×二基、一九八七年着工・一九九四年営業運転開始）の事業者として一九九四年に設立された中国広東核電集団公司である。同社は二〇一三年に中国広核集団公司（CGN）と改称、現在は原子炉二十基、二千百四十六・七万kWを運転する中国最大の原子力発電事業者である。

　また、SPICは国の電力部門（当時は水利電力部）が秦山I期原発に出資（一〇％）した持分を、二〇〇二年の発送電分離の際に引き継いだ中国電力投資集団公司（CPI）と、二〇〇七年に中国政府が米国からAP1000の技術を導入するために設立したエンジニアリング会社の国家核電技術有限公司（SNPTC）が二〇一五年に経営統合して誕生した。SPICは石炭火力を中心に総発電設備容量一億二千六百十三万kWを保有する中国第五位の発電会社で、原発は遼寧省・紅沿河原発（四五％出資）などの持分四百四十八万kWに止まるが、現在山東省・海陽原発（AP1000×二基）を建設中である。

　さらに、中国の原子力事業者は設備の設計・建設部門を組織内に抱える体制をとっており、プラント設計・エンジニアリングはCNNCの場合、傘下に中国核電工程公司および中国核動力研究設計院がある。ＣＧＮでも傘下に中広核工程有限公司が置かれ、フランスの技術を吸収した技術開発に取り組んでいる。一方、ＳＰＩＣには傘下にＳＮＰＴＣと上海核工程研究設計院がある。

　建設工事はＣＮＮＣから独立した中国核工業建設集団公司（ＣＮＥＣ）が中心となってきたが、二〇一八年一月に同社は再びＣＮＮＣに統合され、体制強化が図られた。

　主要機器は、原子力各社の設計を基に、五大メーカー（上海電気集団、東方電気集団、ハルビン電気集団、中国第一重型機械集団、中国第二重型機械集団）などが製造している。

## 原発で世界制覇の野望

　日本では、一九九六年に運転を開始した柏崎刈羽原発六号機に初採用された改良型沸騰水型軽水炉（ＡＢＷＲ）が既設原発における最新炉型であり、改良型加圧水型軽水炉（ＡＰＷＲ）の建設計画もある。一方、研究開発段階では日本原子力研究開発機構の高温ガス炉、高温工学試験研究炉（ＨＴＴＲ、出力三万ｋＷ）があり、その他に高速炉、核融合炉の研究も進められている。

　中国では、ＥＰＲ、ＡＰ１０００、さらにはフランスの設計を基に中国独自の改良を加え、海外輸出の目玉にする方針の華龍一号といった第三世代炉の建設に加え、次世代原子炉の高温ガス冷却炉（ＨＴＧＲ）実証炉や小型モジュール炉（ＳＭＲ）の建設、さらに技術開発では、高速中性子炉（ＦＮＲ）、トリウム溶融塩炉（ＴＭＳＲ）、進行波炉（ＴＷＲ）、低温熱供給炉（ＬＴＨＲ）など様々な取り組みが意欲的に進められている。特に次世代炉開発への取り組みは欧米や日本をはるかに上回る体制、スピードであり、世界の注目を集めている。

　ＥＰＲはフランスの旧アレバ（現フラマトム）の最新型ＰＷＲ（出力百六十六万ｋＷ）で、フィンランド、フランスに次いで、中国では二〇〇七年にＣＧＮが七〇％、フランス電力（ＥＤＦ）が三〇％を出資して台山核電合営有限公司を設立し、一号機は二〇〇九年十二月、二号機は二〇一〇年四月に着工した。フランスで建設中のフラマンビル原発はトラブルの影響で建設が遅延したが、先行していたフランスやフィンランドを追い抜いて、中国は今年六月二十九日に送電を開始。現在、営業運転に向け作業が進む。

ＡＰ１０００は米国ＷＨが設計した最新型ＰＷＲ（出力百二十五万ｋＷ）で、中国では浙江省・三門原発と山東省・海陽原発に各二基建設することで同社とＳＮＰＴＣが合意、三門一号機は二〇〇九年四月、海陽一号機は二〇〇九年九月にそれぞれ着工した。

三門一号機は今年六月三十日に送電を開始、現在、営業運転準備中。さらに、ＳＮＰＴＣはＡＰ１０００を改良して出力を百四十万ｋＷに高めたＣＡＰ１４００を開発、山東省・栄成石島湾に初号機の建設を計画している。

華龍一号（ＨＬ１０００）は中国が知的財産権を持つ第三世代炉で、ＣＮＮＣは福建省・福清原発五、六号機を二〇一五年五月、十二月に相次いで着工。ＣＧＮもＣＮＮＣとは炉心設計の異なる新型炉を開発し、広西壮族自治区の防城港三、四号機を二〇一五年十二月、二〇一六年十二月に着工した。それぞれ安全システムやサプライチェーンに異なる点があるが、ＣＮＮＣとＣＧＮは設計を統合して、新たな華龍一号として中国内陸部や海外に積極的な展開を図る方針であり、原発輸出を目指す諸国にとって脅威となるとの見方が多い。

## 多彩に取り組む次世代炉

次世代炉の技術開発については、日本だけでなく世界的にも関心が高く、ロシアも着実に歩を進めているが、中国の挑戦は広範囲に及ぶところが特色といえる。

その一つに、高温ガス冷却炉（ＨＴＧＲ）がある。中国では清華大学が開発を進め、二〇〇三年に基礎研究炉ＨＴＲ‐10を完成、二〇一二年十二月には清華大と中国核工業建設集団公司（ＣＮＥＣ）は、中国華能集団公司を出資者として、実証炉となるＨＴＲ‐ＰＭ（山東省・華能石島湾原発、出力二十万ｋＷ）を着工。近く発電を開始するとの情報がある。さらに六十万ｋＷ級実証炉、百万ｋＷ級商業炉を開発中で、ＨＴＧＲは内陸立地原発の有力候補になるとの見方もある。

日本でも注目されている小型モジュール炉（ＳＭＲ）では、ＣＮＮＣ傘下の中国核動力研究設計院が地域暖房熱源等に適した多目的ＳＭＲとしてＡＣＰ１００（凌龍一号、熱出力三十八・五万ｋＷｔ、電気出力十二・五万kW）を開発中。原子炉をモジュール化、工場で組み立てることで建設コストの低減を目指しており、CGN、SNPTCも独自のSMR開発に取り組んでいる。

　また、洋上原発として浮揚型SMRの開発も進められており、CNNCはACP100Sを研究中で、CGNはすでに二〇一六年十一月、ACPR50S（出力六万kW）の製造に着手した。

　高速炉（FR）では、中国は一九六五年に研究を開始、CNNC傘下の中国原子能科学研究院（CIAE）が高速実験炉（CEPR、出力二・五万kW）を建設、二〇一〇年に臨界、二〇一一年に系統接続が行われた。CIAEはさらに高速中性子炉（FNR）実証炉として二〇一七年十二月に福建省・霞浦で出力六十万kWのCFR600の建設を開始している。

　トリウム溶融塩炉（TMSR）は水資源の不足する内陸部で期待される技術で、上海大学応用物理研究所に二〇一一年、TMSRセンターが設置され、研究開発が進行中だ。そのほか、進行波炉（TWR）では、マイクロソフト社のビル・ゲイツ氏らが米国に設立したテラ・パワーとCNNCが、二〇一五年に協力覚書を締結。低温熱供給炉（LTHR）も地域暖房熱源としてCNNC、CGNが技術開発を実施している。

## 桁違いの人材育成

　日本では「原子力」を名称に含む大学の学科数は三つ、大学院の専攻は九つで、在学者数は七百五十人程度とされる。

　中国では新規プロジェクトの急増に対応して、急ピッチの人材育成が進行している。原子力関連専攻学科を持つ大学は四十四校あり、中国原子力産業協会の報告によれば約一万人の学生が在籍。研究機関も含めると毎年約三千人が原子力産業界に送り出されている。

　原子力発電事業者は、運転員の育成に積極的に取り組んでおり、訓練シミュレータの整備を進め、主要な発電所の中央操作室では、建設中の発電所の運転員候補者を多数迎え駐在研修を実施している光景が見られる。

　工学系有名大学の例を紹介すると、技術系大学トップの清華大学では、一九六〇年に原子力・新エネルギー技術研究院（INET）が設立され、教員五百人、大学院生二百人以上が在籍。ＩＮＥＴは高温ガス冷却炉の研究開発も担当している。清華大学はＣＮＮＣの資金拠出で、原子力技術教育プログラム（毎年六十人）、国際交流プログラム（同三十人）を提供し、修了者をＣＮＮＣに就職させている。

上海交通大学では一九五八年に原子力工学部門を設置、二〇〇六年には原子力科学・工学学院（ＳＮＳＥ）を設立した。同学院には教員五十人、学部学生百五十人、修士課程六十人、博士課程五十人が在籍。同大学はＳＮＰＴＣのＣＡＰ１４００の研究に参画している。

ハルビン工程大学では一九五八年に原子力工学部門を設置、二〇〇五年には原子力科学・技術学院を設立。教員百十三人、学部学生千六十三人、修士課程二百三十五人、博士課程六十二人が在籍する。原子力人材の枯渇、技術の継承途絶が懸念される日本とは、次元を異にする人材育成に国をあげて取り組んでいるのが現実だ。

中国の原子力事業者は民営電力会社ではなく、また発電、原子炉の研究開発、設計、施工まで一貫して担う総合企業であり、習近平主席が提唱した広域経済圏構想「一帯一路政策」による政治的、資金的な後押しもあって、海外輸出分野でも優位な立場を確保している。

すでに、パキスタンで華龍一号を建設中のほか、英国、アルゼンチンでも導入を進めている。さらに、中国はアフリカ諸国など多くの国と原子力協定を結んでおり、将来に向けた原発輸出に着実な布石を打っているのだ。

また、ＡＰ１０００をはじめとする第三世代炉の開発・建設に加え、高温ガス炉、高速炉、小型モジュール炉などの次世代炉の開発や建設が進められており、中国はすでに原子力技術開発で世界のトップに立ちつつある。

その一方で、二〇一四年五基、二〇一五年八基、二〇一六年にも五基が新規に運転開始となった。非常に速いペースで稼働原発が増加しているため、ベテラン運転員の不足が重要な課題になっている。さらに、万一の事故発生時の水質汚染など安全面に関する議論もあって、内陸部への立地が進まない実情も認識しておく必要があろう。

（『ＷｉＬＬ』二〇一八年九月号初出）

# 原子力技術を捨てたら、日本は中国の属国になる

森谷正規
技術・産業評論家

次世代原子炉開発に、中国は国をあげて取り組んでいる

## 「脱原発の空気」を吹き飛ばせ

福島事故から九年を迎えようとしているが、いまなお、日本中が「脱原発の空気」に支配されている。この空気を吹き飛ばして、「情」に振り回されない、「理」にかなったエネルギー対策を実行するべきである。そのためには、日本を取り巻く動きや目指す未来像をしっかりと分析・検討、エネルギー技術の利点と問題点を正確に把握し、それぞれの得失を秤にかけて方向を定めていく「秤量《ひょうりょう》」が欠かせない。

安倍晋三首相は、二〇一七年一月二十日の施政方針演説で「水素エネルギーは、エネルギー安全保障と温暖化対策の切り札です」と語り、水素社会実現へ向けた決意を表明した。私が描く将来シナリオも、$CO_2$排出を伴わない水素エネルギーへの着実な転換の重要性であり、基本的な方針に差があるとは思わない。

その背景にあるのは、二〇一五年十二月のCOP21「パリ協定」で示された「産業革命以前からの気温上昇を

二℃未満に抑える」「二十一世紀末までに$CO_2$の排出量をゼロにする」という壮大な目標。同時に、技術立国として発展してきた日本が改めてその地位を再構築し、明るい未来を築くために、水素エネルギーで世界の先導役を果たすことが産業、経済を活性化する基本だという強い想いだ。

　さらに、現在の日本では電力問題ばかりが論議されているが、日本の総エネルギー消費のうち電力の比率は二五％という実情に目を向けなければならない。

　あとは、自動車や機械などを動かす「動力」と、給湯や暖房をはじめとした熱を供給する「熱源」。これら全てを包括してエネルギーの未来像を描き、$CO_2$排出をなくしていけるか、日本の役割は何か、そのカギを握るのが水素エネルギーだととらえるべきである。

　自動車分野では、水素と空気中の酸素によって発電し、モーターで動く燃料電池自動車（ＦＣＶ）が開発されており、今後のコストダウン、燃料となる水素を補給する水素ステーションの増設などへの取組みが進められている。このような水素社会に向けた先端技術を、技術立国として成長を遂げてきた日本経済を再生する主柱に育て上げねばならない。

　だが、水素を製造するには膨大なエネルギーが必要となるという現実を見落としてはいけない。そのエネルギーを確保するために$CO_2$を排出していたのでは、全く意味がない。現在及び近未来の技術を考えた場合、この中心的な役割を果たせる可能性を秘めているのは、原子力発電と再生可能エネルギーである。そこで、最も大切になるのが、原発と再エネの「秤量」だ。

## 再エネが抱える「収穫逓減の法則」

　まず、再エネの本当の実力を、現実的かつ正確に秤にかける必要がある。その本質は三つある。

　一つ目は、再エネの主役とされる太陽光発電、風力発電は発電能力が不安定であることだ。昼と夜、晴れと雨、風が強いか無風かといった自然条件によって発電量が変わる。太陽光も風力も、発電能力を最も気候条件の良い場合で示すのが通例だ。

　ただし、実際の稼働率は地域によって異なるものの、平均的には太陽光発電が一二％、風力発電は二〇％ほどである。これはあくまでも平均値であって、いつでも一二％とか二〇

%を確保できる保証はなく、実態としては○〜一○○%といえる。電力供給においてこの不安定さが最も困る。地域の電力網にわずかに供給するのであれば、不安定さは吸収できるが、その量が大きくなればなるほど安定供給が難しくなる。

二つ目は、国や地域によって再エネ利用の条件が大きく異なる点だ。太陽光も風力も地球全体に広がる「非常に薄いエネルギー資源」といえる。このため、広大な敷地でエネルギーをかき集めることになる。また、年間を通じて日射量、風量がしっかりと確保されるかも地域によって差がある。再エネに利用できる広い土地があるか、その土地の自然条件が適しているかを見定める必要がある。

三つ目は、見落とされていることだが、実は最も重要な本質だ。太陽光も風力も、当初は敷地や自然条件の良い場所から発電設備を設置していく。しかし、用地は無限にあるわけでなく、導入が進むにつれて、条件の悪い場所に設置せざるを得なくなる。このため、再エネ利用には「収穫逓減《ていげん》の法則」が働くのである。つまり、適地が減って土地条件の悪い場所に再エネ設備を作るとなれば、建設コストもかさむし、長い送電線も必要になる。

また、想定を超えて発電できた、いわゆる余剰電力を活用して水素を作ると主張する人も多いが、再エネのような「薄いエネルギー」で大量の水素を製造するのは現実性がない。

## 福島事故を正確に理解しよう

それでは、もう一方の原発はどうか。原発の本質的問題は、福島事故で起きた炉心溶融のような過酷事故が発生すると放射線による大きな被害が生まれる可能性があることだ。だが、その場合の被害がどのようになるのかを直視しなければならない。

福島事故による被害については、近隣地域の住民避難と農産物などの放射性物質汚染である。福島事故による農産物汚染の実質的な影響はゼロといえる。汚染牛肉を例に調べてみると、基準値を超えた牛肉を年間六百キログラム食べたとしても、放射線被ばく量は五ミリシーベルト。そもそも、年間に六百キロもの牛肉を食べることはあり得ない。

被ばくによる発がんリスクについては、年間百ミリシーベルトで二百人に一人が発がんすると医学的に公表されている。国立がん研究センターが発表した生活習慣と放射線の影響比較によると、毎日、日本酒二合を飲む人は千ミリシーベルト、塩分摂取過多は三百ミリシーベルト、野菜不足では百ミリシーベルトの放射線被ばくに相当するとされる。

私は福島事故後、近隣住民が家や畑を捨てて、避難生活を本当にしなければならなかったのか、放射線の影響についても調べた。その結果わかったことは、原発に近い人々は別にして、多くの住民は早期に自宅に戻って生活したほうが、よほど幸せであったという現実だ。政府も、避難した場合としなかった場合を十分に調査して、報告書を公表するべきである。

また、福島事故の後、「反原発」の風潮が強まり、全国の原発が停止された。福島事故はあってはならないものであるが、現在では事故を教訓とした多重の対策が講じられている。事故リスクは大幅に減っているると考えてよいであろう。

「トイレなきマンション」と批判される高レベル放射性廃棄物の処理にも、政府は正面から向き合うべきだ。今後、原発は中国やインドだけでなく、発展途上国にも建設されていくに違いない。その多くの国々で、日本と同様の問題に直面するであろう。世界全体で最適な場所を確保、建設、管理するプロジェクトに取り組むべきであり、日本はその先導役として、技術と資金を提供していかねばならない。

このような現実と対応を含めて「秤量」した結果、再エネは可能な限り活用していくべきであるが、日本で見ればその限界が三、四年後にはわかってくるのではないかと考える。そして、究極の地球温暖化対策に欠かせない水素社会を構築していくためには、原子力エネルギー技術をより高めて、その実現に役立たせるべきであるとの結論にたどりついた。

日本では、既存原発の再稼働の遅れが指摘されているが、原子力技術を向上させ、人材育成を図るためにも、最新鋭の原発を新増設していかなければならない。古くなった、出力の小さな原発は廃炉にし、出力の大きな原発を新設する。それによって、電気分解による水素生産の基幹エネルギーを確保するのである。

## 中国取り組みは日本の脅威

原発と再エネの「秤量」を行ってきたが、さらに見過ごしてはならない重大問題があることを忘れてはならない。中国が取り組んでいる原子力技術をはじめとするエネルギー分野への集中ぶりである。すでに、大学の原子力工学科が五十もあるという。原子炉だけでなくその周辺を含めて広範な技術の集積が必要なので、中国ではハイレベルな人材育成が急スピードで進められていると考えた方がいい。

　中国のような強権国家では、「これが必要だ」となったらどんどん資金を投入する。関係者の給与も上がり、優秀な人材が集まる。ここ二、三年、世界で建設されている原発の半数は中国。工業技術は経験がものをいう。たくさん作れば技術も上がるし、コストを安くすることもできる。日本では「中国製の原発で大丈夫か」といった声が聞かれるが、将来、他の国では「中国製のほうが安全だ」とみるかもしれない。

　日本は東京オリンピックで浮かれているが、オリンピックのメダル獲得も原発技術と同じようなものだ。スポーツも技術だから。中国のオリンピックでの金メダル獲得数の増加を見ていると、原子力分野でも非常に優秀な人材が集まり、高いレベルの技術開発力を持つ国と考えなければならない。

　対照的に、「脱原発の空気」に包まれた日本では、原子力工学科も減り、原子力関連産業に人材が集まらなくなりつつあるのが実情だ。単なる数の問題だけでなく、質の向上への影響も大きい。中国は、原子力大国・フランスの大手原子力企業、アレバにも資金援助を行い、イギリスの原発新設にも進出を決めている。「もんじゅ」廃炉で実態を多くの国民が知ることになった高速炉研究も、水素生産を熱分解方式で行える次世代原子炉である高温ガス炉の技術開発も中国では国をあげて取り組んでいる。

　そのすさまじいまでの集中ぶりを侮ってはならない。あれだけの面積があるので、再エネ導入の余地も日本よりはるかに残されている。中国がエネルギー分野で世界の覇権を握る日がくる可能性を真剣に考えておいたほうが良い。

## 「原発が怖いか」「中国が怖いか」

　これも「秤量」の対象である。中国は原子力による膨大な水素生産において世界に先行する可能性が高い。日本が現在のように「脱原発の空気」

を打破できず、原子力技術向上への挑戦をやめれば、将来、日本は中国から大量の水素を輸入することになりかねない。それは、中国に生殺与奪権を握られることにつながる。テレビのコメンテーターなどは「日本はアメリカの属国ではないか」と発言しているが、このままでは二十〜三十年後には、日本は中国の属国になる。現在は、まだ、日本の持っている技術が欲しいから、自重しているところがあるようだが、将来的にはその危惧を捨てられない。

　アメリカを中心にして、情報分野での技術に注目が集まっている。しかし、情報の世界で儲かるのはアメリカにいるベンチャー企業の創業者とその幹部だけ。彼らは大変な利益を獲得するが、アメリカ経済全体を良くするために役立っているとは思わない。もう、情報分野の時代は終わり、エネルギーの時代が到来する。

　情報の世界はモノがいらないので、金が余る。その金が世界中で悪さをしているのが実情だ。ところが、エネルギーの時代がくるとモノが必要になる。すると、金は余らない。世界経済の構造が、この方向に向かうのは間違いない。中国は技術も資金も提供する手法で、途上国を次々と支配下に置こうとしている。その象徴が、アジアインフラ投資銀行（ＡＩＩＢ）だと考えていいのではないか。

　こうした世界情勢を真摯に考えて、日本は水素社会構築に向けて本気で取り組まなければいけない。

　原子力技術でも、水素活用技術でも、中国の先陣を確保し続けなければ、中国の支配下に陥るといった危機意識を抱かなければならないと思う。水素エネルギー社会をしっかりと築き上げていくことが、中国に対抗する唯一で、最後のトリデと認識するべきだ。

「原発が怖いか」、「中国が怖いか」。この極めて深刻な「秤量」に、若い世代の人々はどのような選択を下すのであろうか。

**もりたに　まさのり**
一九三五年生まれ。東京大学工学部卒業。日立造船、野村総合研究所を経て、東京大学先端科学技術研究センター客員教授、放送大学教授などを歴任。専門は現代技術論。「日本・中国・韓国産業技術比較」（東洋経済新報社）で一九八五年に第一回大平正芳記念賞受賞。「日本はこれからも経済一流国だ」（ＰＨＰ研究所）、「1ミリシーベルトの呪縛」（エネルギーフォーラム）、「原発こそ日本を救う」（同）、「水素エネルギーで甦る技術大国・日本」（祥伝社）など、著書多数。日本を代表する技術評論家の一人である。

（『Ｗ・ｉＬＬ』二〇一七年四月号初出）

# 電力安定供給は危機管理の視点で

日本エネルギー経済研究所参与
十市 勉

再生可能エネルギー、発送電分離など新しい分野やシステムに目を向ける前に、安定供給の基本を見据えては……

## 内在していた問題の表面化

東日本大震災に伴う福島事故から九年が経過しようとしています。この間、既設の原子力発電所の再稼働がなかなか進まない状況の下で、日本の電力供給は何とか確保されてきました。ただし、二〇一八年九月、震度七を観測した大地震を引き金に北海道がブラックアウト（広域大停電）に見舞われたほか、十月には九州エリアで需給バランスが崩れ、広域停電に陥《おちい》る可能性が高まったとして、一部の太陽光発電設備に全国初の出力制御が実施されるなど、電力の安定供給に内在していた様々な問題が表面化してきたと感じます。

ベースロード電源の主役を担ってきた原発の再稼働が進まず、太陽光発電をはじめとする出力変動の幅が大きい再生可能エネルギーは、二〇一二年の固定価格買取制度（FIT）導入を機に急激に増加しました。また、二〇一六年四月には電力小売り全面自由化が実施され、「電力システム改革」が進行中です。これまで、原則として地域独占を維持しながら電力の安定供給責任を果たしてきた大手電力会社はエリアを超えた自由競争の世界に突入し、余剰な設備を持たず、コスト削減に努めなければならない経営環境に置かれたわけです。

システム改革のスケジュールでは、これまで長年にわたって発電部門、送配電部門、小売部門が一体化して電力安定供給を担ってきたのですが、二〇二〇年四月からは発電部門と送配電部門を別会社化する発送電分離が行われます。こうなると、安定供給責任の所在がはっきりしない事態が予想されます。大きな災害が発生し、今後も大地震などが見込まれる中で、いざという事態にどのような体制、対応で安定供給責任を果たすのか。国の安全保障の観点からも、十分な議論を尽くす必要があると考えています。

## 老朽火力でしのいできた電力供給

福島事故の後、原発の役割に対する国民世論が割れ、「原発がないほうがいいね」という空気が広まりました。政治家も、票にならないことには触れたくないというムードが強く、行政も「忖度《そんたく》」して、再稼働もなかなか進まず、原発の新増設やリプレースにも踏み込まないという状況が続いています。一部には「原発が動かなくても停電は起きていない」との認識があり、かなり多くの国民がそれを実感しているような年月が経過してきたともいえるでしょう。

需要サイドで見れば、震災前に比べて企業や一般家庭での省エネが進み、電力需要は八～九％減少しました。ところが、供給サイドは、再エネの導入も進みましたが、主流は電力各社が火力発電をフル稼働させて対応してきたのが現実です。運転開始後三十～四十年も経た老朽火力を総動員して、停電を起こさないように電力供給を確保してきたのです。

震災後に原発が次々に停止して、ガス火力や石油火力、石炭火力の発電量を増やしました。そのころは原油価格が一バレル百ドルを超える水準。停電は起きませんでしたが、電力供給のための燃料費が急上昇しました。原発を火力発電に置き換えたことによる燃料費負担は、二〇一二年度、二〇一三年度には年間約三・五兆円にも達しました。その後、二〇一五年前後から原油価格が下落して、年間負担は二兆円を切ってきましたが、二〇一二～二〇一六年度で

**といち　つとむ**
1945年生まれ。東京大学理学部地球物理学科卒、同理学系大学院地球物理コース博士課程修了。理学博士。1973年、日本エネルギー経済研究所入所。米・マサチューセッツ工科大学エネルギー研究所客員研究員を経て、1991年に日本エネルギー経済研究所総合研究部長。2006年、専務理事・首席研究員。2013年に研究顧問、2017年から参与。著書に『シェール革命と日本のエネルギー』（電気新聞ブックス）など多数。

総額十三・二兆円に達し、それだけ多額の国富が海外に流出したわけです。その影響で、国内の電気料金は最高時には家庭用で二五％、産業用は三八％も値上がりしました。こうして、ここ数年、何とか停電をしのいできたのが実情です。北海道大停電で、内在していた問題が一気に表面化してきたのが現状ではないでしょうか。

「原発がなくても停電は起きない」という意見にも、疑問符が付いたといえます。北海道電力の泊原発は、長期にわたる原子力規制委員会の安全審査中で再稼働が大幅に遅れています。泊原発の原子炉三基のうち、一基でも運転していれば、大規模なブラックアウトにならなかったという専門家からの指摘が出ていますが、その可能性はかなり高いと思います。

## 再エネは自立化が鉄則

北海道のケースは供給力がダウンして停電に陥ったのですが、九州エリアでは太陽光発電の発電量が大きくなりすぎて、需給バランスを保つのが難しくなり、停電を防ぐために出力制御を行ったというものです。もし、放置していたら供給過剰で停電を招いていたことでしょう。再エネは自然条件によって発電量が変動しますので、安定した電源とは位置付けられないと指摘されてきましたが、この問題が現実に起きたのが九州エリアでした。

気候の落ち着いている春や秋の休日は、冷暖房需要もほとんどなく、工場なども休業状態。エリアの需要はピーク時に比べると大幅に下がります。天候が良くなると太陽光発電は大量の電気を作ります。電力会社は、揚水発電の稼働や火力発電の絞り込み、他のエリアに送電線を活用して電気を流すなど、あらゆる手段を講じて需給のバランスを取るように対応します。それでも、太陽光発電による電気を丸ごと受け入れたときに、調整不能となって停電につながりかねないと判断した場合、出力制御を要請します。これは、国が策定した優先給電ルールに基づく措置で、制度上の問題はありません。

発電できる電気を有効に使えないのはもったいないとの指摘がありますが、太陽光が出力変動を吸収して、安定化電源になる準備ができていないためです。自立した電源になるには、基本的には蓄電機能を備える必要があります。しかし、現在の技術ではこの蓄電コストはとても高く、大規模に導入するのは難しい状況です。こうした余分なコストを小さくするためには、火力発電などの調整電源の力を借りなくても、電気を安定的に供給できるシステムに育てていくことを考える必要があります。

## 「再エネ対原発」を超えて

エネルギーの将来像を構想するにあたって、重視しなければならないのは地球温暖化問題への対応で、温室効果ガス（ＧＨＧ）削減は国際的な重要テーマとなっています。日本も二〇五〇年にはＧＨＧを八〇％削減するという目標を掲げていますが、最近では「二〇五〇年にＧＨＧ排出ゼロ」を達成する必要性まで浮上しています。もし、そうしたことを実現させようとすれば、例えばエンジン車を電気自動車にするように、熱エネルギーを電気エネルギーに転換し、発電するシステムをＧＨＧ排出のないゼロエミッションに変えるしか方法はないでしょう。

その電気を全て再エネで賄《まかな》おうとしても、果たして蓄電池をどれだけ用意すればいいのか、どれほどのコストがかかるのか。電気料金がいくらになってもいいという考えならば別ですが、非現実的な話といえます。

一方で、原発は極めて安定した電源です。原子力については安全対策を強化した上で、いかにうまく使うかに取り組んでいくべきだと思います。変動型の太陽光や風力などの再エネと、二〇一八年七月に閣議決定された第五次エネルギー基本計画でも「現在、実用化されている脱炭素化の選択肢」と位置付けられている原発を、うまく組み合わせて、社会、国全体のコストを抑制しながら、地球温暖化問題に取り組んでいくことが重要だと考えています。

再エネか原子力かという二者択一の考え方では、未来への展望は開けないでしょう。再エネと原子力が互いに共生できる電力システムの構築こそが、これから目指すべき方向だと思います。

北海道や九州で起きた出来事は、これまでも専門家の間で懸念されていたことです。こうした指摘について、原発に否定的な人からは「再エネ反対のための主張」といった声があって、なかなか説得力が持てなかったのですが、現実に起きてみると「これは問題だ」『何とかしなければ」と認識も広まるのではないでしょうか。

## 安定供給責任の明確化を

福島事故後のエネルギー政策を振り返ると、電力市場を全面自由化して、電気料金を安くできればいいといった方向性が前面に打ち出されて議論が進められてきた印象がありました。ところが、今は安定供給の大切さや難しさが改めて浮き彫りになってきているといえるのではないでしょうか。

「電力システム改革」は最終段階を迎えつつあります。その当初の目的の優先順位は、自由化であり、競争によって電気料金を下げるという点。さらには、消費者に多様なサービスを提供することでした。それはそれでいいことだと考えますが、安定供給のところがおろそかにされてきた感がぬぐえません。

安定供給に関しては、これまでの大手十電力会社体制の下では発送電一体的に責任を担い、「絶対に停電は起こさない」という前提で取り組んできました。それ故に、場合によっては、余剰と思われる老朽火力発電設備なども、いざという事態に備えて保有してきました。そのために、ある程度のコストがかかっても維持してきたわけです。

ところが、競争関係に置かれることによって、できるだけ無駄な設備は持たない方向にせざるを得なくなりました。すると、夏場や冬場の異常気象の際、冷房や暖房の需要が急激に増えてきた場合、どこかの発電所でトラブルが発生すると供給不足の可能性が高まります。二〇一八年一月下旬、東京エリアで降雪した雪が解けずに太陽光設備が予想通りに発電できず、需給が厳しくなる事態になりました。東京電力ホールディング傘下の送配電部門、東電パワーグリッドは電気の需給状況を監視、他電力への融通要請などを行う「電力広域的運営推進機関（広域機関）」（二〇一五年四月設立、経済産業省の認可法人）に要請して、東北電力などから緊急融通を受けて、急場をしのいだことがありました。

北海道のような事態に一〇〇%対応するのは難しいでしょうが、電力安定供給重視の方針を改めて認識し、停電発生のリスクを最小限にするための対策を取っておくべきだと思います。最近になって、国も議論を始めたようですが。

つまり、自由化の進展に伴って、誰が電力安定供給の責任を持つのかが、曖昧になってきている感じがします。安定供給という観点からすると、発電設備にある程度の余裕が求められます。いざという際の対応が可能ですから。ただし、競争環境の下で生き残りを懸けた経営を求められると、どうしても余剰設備を減らそうという方向に向かわざるを得なくなります。

こうした事態に備え、広域機関が中心になって、将来にわたる供給力を効率的に確保するために、発電所などの設備容量を取引する「容量市場」を立ち上げることを考えていますが、具体的な政策はまだ固まっていないようです。いずれにしても、最終的な安定供給責任というのは、システム改革仕上げのキーワードになると認識しています。

システム改革と安定供給の関連でいえば、もう一つ見過ごせないのは電力会社の組織上の問題です。二〇二〇年には発送電分離が行われ、発電部門と送配電部門が別会社化されます。これまでは、人的交流も含めて、発電部門と送配電部門が一体的に取り組んできたわけですが、別会社化によって人事、情報両面でカベが生まれないかが気がかりです。当初は、これまでの蓄積が生きるかもしれませんが、時間の経過とともに、万が一のときに一体的な対応ができるかについて十分な対策が欠かせないと思います。

そういう細かい配慮も尽くしておかなければ、ただ単に組織を分離して競争原理が働くようにするだけでは、ライフラインに関わる電力事業の議論としては表面的に過ぎると感じます。将来的にも、危機が起きた際に、人の命にかかわる業務を遂行する対応ができるのかという疑問が残ります。

## 欠かせない国の安全保障力

将来の供給力確保に備えて「容量市場」を創設するなどの対策が検討されていますが、首都直下型地震など大災害の発生確率について国の中央防災会議で指摘されています。もし、こうした事態が生じたときには、「容量市場」での対応では済まないでしょう。そのための「緊急時設備」についても考えておくべきです。

一九七三年に石油ショックが起きて、日本は民間と国が備蓄体制を整え、現在では国、民間合わせて二百日分ほどの石油を備蓄しています。石油危機の教訓を生かし、石油税など多額の資金を投入して今日を迎えているのです。電力も自由化するからには、余分な設備を持たなくなるのは当然。新規参入者は大きな投資をせずに事業を遂行していこうと考えます。大手電力会社もこれまでのような余剰設備を持たなくなります。それならば、誰が危機に備えた設備を持つのでしょうか。

日本の中枢機能が大きな影響を受けるとの見通しが出されているのですから、電力の安定供給責任に関しても、国と民間の役割を明確にしておくべきです。送電系統の強靭化とか、余裕電源の確保などを行うならば、その費用はどのように賄うのか。電気利用者全員で負担するのか、大手電力が受け取る託送料金に上乗せさせるのか。いろいろなスキームが考えられますが、そこを国が責任を持って決める必要があります。

危機管理の重要性がよく言われますが、電力安定供給も安全保障問題と同じです。何かが起きたときに、一体、誰が責任を持って対応するのかについて、日本は何となくそういうことが起きないという前提でしか考えない傾向にあります。これでは、心配です。エネルギー問題、とりわけ電力の安定供給は日本の安全保障と直接的につながっています。

日本の電力供給の実態を直視するとともに、強靭で、安定的な電力供給体制の確立に向けて本格的に踏み出すべきときだと思います。

（『WiLL』二〇一九年一月号初出）

「放射能デマ」に騙されるな

# 伊方原発運転差し止め決定
# これは「司法テロ」だ！

奈良林 直
北海道大学名誉教授

日本衰退を目論む勢力に裁判官が加担する……司法の暴走を許すな！

## 一回目の運転差し止め決定

四国電力伊方《いかた》原子力発電所三号機（愛媛県伊方町）の運転差し止めを広島県の住民が求めていた仮処分の抗告審で、広島高裁（野々上友之裁判長）は二〇一七年十二月十三日、二〇一八年九月三十日まで運転停止を命じる決定を下しました。

広島高裁は、熊本県の阿蘇《あそ》山が過去最大規模の噴火を起こし、火砕流が伊方原発にまで到達すれば、原発の安全が脅《おびや》かされると指摘。「新規制基準に適合するとした原子力規制委員会の判断は不合理」と結論づけたのです。案の定、朝日新聞をはじめとする反原発メディアは「司法の勝利」と狂喜乱舞して大々的に報じました。

四国電力は、本件の保全異議申し立てを行いました。半年後の二〇一八年九月二五日の異議審にて広島高裁は、

①原発運転中に阿蘇のカルデラ噴火が起きる根拠が示されておらず立地は不適でない

②降下火砕物の想定は合理的

③国も国民の大多数も破局的噴火を問題にしておらず、安全性に欠けていないのが社会通念

④新規制基準、規制委の適合判断とも合理的

とし、「火山影響ガイド」を論拠にした前回決定を退けました。

社会通念に沿った妥当な判断です。カルデラ噴火を問題にするなら、九州の住民は全員避難しないといけない。つまり、破局的噴火のリスクは極めて低いと考えているというのが、共通認識になっているのです。

次いで、山口県の住民三人が四国電力伊方原子力発電所三号機（愛媛県伊方町）の運転差し止めを求めた仮処分申請の即時抗告審で、広島高裁は再び二〇二〇年一月十七日、住民側の請求を認め、運転を差し止める決定をしました。

この結果、司法判断は約二年のうちに運転が一回、停止が二回と迷走してしまいました。

安定した電力供給は市民生活や産業・経済活動の基盤であり、今やこれを司法のリスクが脅かす形になっています。三号機は定期検査中で、昨年来から運転を停止していましたが、今回の仮処分決定により、またもや法的に再稼働ができなくなったのです。四国電力は「到底承服できるものではなく、速やかに不服申し立ての手続きを行う」としています。

## 規制委の審査を何度も覆す

まず指摘したいのは、差し止め請求の根拠となっている「人格権」の乱用です。民法の権威、森嶌昭夫名古屋大学名誉教授によれば、「人格権」を適用するのは本当に急迫した危険であるときのみであって、むやみに適用するのは適切ではないとのことです。伊方原発三号機は、世界一厳しい新規制基準の下で、安全対策が合格し、さらに工事完了後の使用前検査で安全が確認されて再稼働に至っています。つまり、山口県の住民三人（抗告人）にも一般市民にも、差し迫った明白な危険はないのです。

新規制基準による過酷事故（炉心の損傷）対策を含めると、原子力学会の調査専門委員会のリスク評価では、重大な過酷事故の発生確率は、原発一基について年間で一千万分の一程度まで下がっています。

次に指摘したいのは、国家行政組織法三条が定めるいわゆる「三条委員会」として、独立した強い権限を持つ行政組織である原子力規制委員会の

審査自体に裁判所が踏み込んでいることです。活断層に関する規制委の安全審査について、裁判官は「過誤ないし欠落があった」と批判しています。審査が厳格すぎて、膨大な審査のマンパワーと時間をかけた規制委の「合格」の判断、換言すれば、工事認可まで含めると四十万ページに及ぶ膨大な審査書類が、たった一回の審尋（利害関係者に対する陳述機会の提供）による八十八ページの運転差し止め仮処分の決定文で否定されているのです。

　決定文にある、瀬戸内海西部の伊予灘の海岸線が活断層であるとする見解は、ごく少数の専門家が可能性を指摘するに過ぎません。また、伊方原発から百三十キロ離れた熊本県・阿蘇山の大規模噴火について、事業者想定の五～六倍の規模を考慮することが必要なわけではない。さらに、原子力の専門家として伊方原発の審査プロセスに携《たずさ》わってきた私としては、二回の決定を亡国の「司法の暴走」と断じざるを得ません。

　それにもかかわらず、「巨大地震などへの安全確保が不十分」という抗告人の主張を一〇〇％取り入れたような決定文に、司法としての公平性はあるのか。行政手続きの法体系に基づく厳密な審査を覆してよいのか。司法の在り方を根本から見直すべき事案と考えます。四国電力は、判決を不服として、広島高裁に対して決定の取り消しを求める異議申し立てを行いましたが、至極当然の対応だと考えています。

## 厳格な新規制基準

東日本大震災とそれに伴う福島原発事故の後、原子炉等規制法が改正され、その法の元に原子力規制委員会が設けられ、厳格に原発の再稼働の可否を判断する新規制基準が作成されました。

　事故以前と比較した際、新規制基準の下で最も厳しく審査されることになったのは、大規模自然災害への対応です。原子炉建屋をはじめとする耐震強度、敷地内の活断層の有無を調査するだけでなく、火山の噴火、森林火災、竜巻等、あらゆる天災を想定した上で適合性を審査することになったのです。

　ボーリングやトレンチ等の厳密な地質調査によるデータ収集は特に骨の折れる作業で、審査資料は工事認可図書を含めると四十万ページにも及ぶ膨大《ぼうだい》なものとなりました。科学的事実に基づいた厳しい適合性チェックがなされている何よりの証拠です。

特に、阿蘇のカルデラ噴火も審査対象となっており、その地質調査によって九万年前の地層を調べても、伊方原発の敷地には火砕流の地層は認められませんでした。また、断層変位もないと厳密に確認した上で、再稼働の適合審査合格となりました。

さらに、私は愛媛県の原子力安全部会の委員を四年間ほど務めてきましたが、県は国よりも厳しい独自の審査基準を敷いていました。各分野の専門家が二週間に一度集まり、半年以上も、侃々諤々《かんかんがくがく》の議論を交わすこともありました。

二回の差し止め決定に際して、裁判官が審査資料を読み込んだとは到底思えません。仮に、九万年前の阿蘇山の噴火を引き合いに出すのであれば、規制委員会と同様の専門家による調査を行い、過去に伊方に火砕流が到達した証拠を提示する必要があると思います。したがって、科学的事実に基づかない、「反原発」のイデオロギーに染まった判決と批判されても仕方がありません。

## 司法の暴走

判決が想定している規模のカルデラ噴火が起きれば、九州に住む多くの方々の命が危機的状況に晒《さら》されることは間違いありません。もし裁判官の論理が認められるなら、人格権を根拠に九州から住民を即座に避難させなければ筋が通らない。これは一回目の異議審で、広島高裁も認め、却下しました。

今回の判決のような論理が罷《まか》り通ってしまうと、法治国家の根幹を揺るがす深刻な事態を招いてしまう恐れがあります。迅速な審理が要求される仮処分の手続きでは、通常の訴訟よりも限定的な証拠で判断される。こうした特徴を踏まえ、原発の再稼働を阻止するために仮処分を申し立てているとすれば、裁判の濫用と言うほかありません。

規制委員会での審査プロセスに誤りがあればそれを指摘するのは構いませんが、原子炉等規制法に基づき、行政機関が科学的事実に基づいて出した結論を裁判所がいとも安易に覆《くつがえ》す状況は、三権分立を侵す「司法の暴走」です。

憲法七十六条では、「すべて裁判官は、その良心に従ひ独立してその職権を行ひ、この憲法及び法律にのみ拘束される」と規定されていますが、原子炉等規制法を無視した今回の高裁決定は、憲法違反とみることもできます。

ちなみに、野々上裁判長は退官が目前に迫っていました。福島事故以来、高裁レベルでの運転差し止め決定は初めてのことなので、「歴史に名を残した偉大な裁判官」と持て囃《はや》されて、退官後に反原発派の支援組織に引っ張りだこでしょう。二回目の運転差し止め決定を出した広島高裁の森一岳裁判長も同様に、退官の一週間前でした。反原発派に忖度した決定を下し、退職金を受け取って退官する。その後の著名な元裁判官としての講演が全国で待っているのです。

反原発弁護団として活動する可能性も高い、というのは邪推でしょうか。いずれにせよ、退官直前の裁判官が、その後の自分の立場を考えて出す判決が、果たして法に基づき国民の利益に資するものであるかについてチェックし、利益相反の可能性を含めて法務省が退職後の行動を厳密にフォローしなければなりません。

伊方原発は、阿蘇山のカルデラ噴火に伴う火砕流だけでなく、火山灰にも万全の備えをとっています。敷地内に十五センチの火山灰が積もるという最悪のケースを想定し、それでもなお原発の安全が確保されるような準備がなされているのです。

万が一、外部電源を喪失した際の非常用電源であるディーゼルエンジンやガスタービンは燃焼のための空気を必要とします。また、ガスタービンは多数の翼を空冷するための小さな穴が開いている。これらの燃焼や冷却のための空気にはフィルターを設け、目詰まりを起こすことがないよう、予備のフィルターが大量に備えられています。また、タービン動補助給水ポンプといって蒸気発生器の蒸気を用いて、エンジンを使わずに蒸気タービンで蒸気発生器に注水できる系統を持っています。注水した水は蒸気発生器で沸騰し、原子炉の熱を吸い取って逃がし弁を経由して大気に逃がすのです。この系統を使った炉心注水は、火山灰の影響を受けませんから、再稼働を果たした原発は、深層防護の考え方に基づく多様な冷却系統を持っているのです。

## 「人格権」の濫用

広島高裁が判断の基準として用いた憲法における「人格権」は、生命に関わる明白な危険が存在する場合にのみ適用されるべきものです。前出の森嶌昭夫氏は、民事保全法第二三条仮処分の適用条件の定めにより、人格権の適用制限として、著しい損害や、急迫の危険が迫っているときに限られると定められています。つまり運転差し止め仮処分を決定する裁判官は、この法律に違反して、決定を出していることになるのではないでしょうか。

阿蘇山のカルデラ噴火のような、数万年に一回訪れるかどうかも定かでない事案に持ち出されるべきではありません。イタリアのポンペイは、二千年前、火砕流によって街自体が地中に埋もれてしまったことで有名です。ただ、人口二万人を擁する商業都市の中で、火砕流の被害を受けたのは二千人程と言われています。つまり、残りの一万八千人は、火砕流がやってくる前に既に安全な場所に避難し終えていたということで、大噴火の予兆があったのです。

大量のエネルギーが一瞬にして放出される大規模なカルデラ噴火の前には、おそらく噴煙や地震等があったのでしょう。現在のGPS技術をもってすれば、火山の変形をはじめとする噴火の予兆を即座に把握することができます。「火山の噴火は予見できない」という専門家の意見を耳にしますが、それは小さな噴火についてであり、大規模なカルデラ噴火はある程度予測を立てることができると火山の専門家がおっしゃっておられます。

## 高裁判決こそ「人格権の侵害」

原子力規制委員会の更田豊志委員長も、規制委が司法の判断に介入すべきではないとしつつも、率直な感想として、

①地震については、中央構造線の第二版は許可後のものであり、規制委員会は技術情報検討会として許可に係る新知見かどうかを議論しており、文科省の 重点調査も同様に、既許可を覆すようなものではない

②巨大噴火の定義は、ガイドでは噴出量が数十立方キロメートル、決定文ではVEI（火山爆発指数）七未満すべてと読め、双方で想定が異なる。決定文にある、数十立方キロメートルを想定せよというのは、巨大噴火に備えろと言っているに等しい。巨大噴火を除いた以上、その次の既往最大を想定するのは行政上の裁量だ

と回答しました。

現在では原発が停止させられていることで深夜電気料金が以前の三倍

にも跳ね上がっています。この状況が続けば、町工場が操業できなくなり倒産に追い込まれ、収入の少ない年金暮らし等の生活弱者も困窮《こんきゅう》します。そちらの方がよほど人命にとって差し迫った危険をもたらす「人格権の侵害」だということに、国民が早く危機感を持たなければなりません。

本来であれば、原発停止による経済的損失をメディアがしっかりと報道すべきなのですが、今のマスコミには何も期待できません。

声の大きい一部の左派系大手新聞・マスコミと野党が「反安倍」の旗の下に正常な議論を停滞させてきた「モリカケ」や「桜を見る会」の構造が、原発の議論にも当てはまります。「反原発」のイデオロギーに染まった左派系活動家の大きな声に逐一振り回され、科学的根拠に基づく議論が妨げられた司法の暴走が続くようでは本来守られるべき国益や人格権が犠牲になってしまう。日本の国力を衰退させるよう仕向ける勢力や小泉元首相の現実を無視した夢想活動に対し、「Ｎｏ」を突きつける必要があります。

大手電力十社でつくる電気事業連合会の勝野哲会長（中部電力社長）は二〇二〇年一月一七日、東京都内で開いていた定例会見の場で、四国電力伊方原発三号機の差し止め決定を知りました。勝野氏は「極めて残念。エネルギー資源の乏しい我が国では、電力の安定供給、地球温暖化問題への対応などで原子力の果たすべき役割は大きい。国の新規基準に的確に対応するとともに、立地地域をはじめ社会のみなさまにしっかりと説明するように努めていく」と意見表明しました。当然の発言です。

ならばやし　ただし
一九五二年、東京都生まれ。東京工業大学大学院理工学研究科原子核工学修士課程修了。東芝に入社し原子力の安全性に関する研究に携わる。九一年、工学博士。同社原子力技術研究所主査、電力・産業システム技術開発センター主幹を経て、二〇〇五年、北海道大学大学院工学研究科助教授に就任。一六年から名誉教授。二〇一八年四月より東京工業大学特任教授。

太陽光・風力の限界

# 民主党政権が導入した停電を招く政策

山本隆三
常葉大学教授

台風による停電で身に染みる電気の大切さ。電力自由化と再エネ推進、本当にそれでいいんですか?

## 停電になると何もできない

二〇一九年九月の台風十五号によって千葉県で発生した停電については、新聞、テレビで数多くの報道があったので、詳細について説明する必要はないだろう。ただ、電気がない大変さを知った方は多いと思う。電気がないと照明が点かない、冷蔵庫が使えない、テレビが見られないくらいは当然想像できるが、買い物でキャッシュレス決済はできない。仕方がないから銀行に行っても、ATMは使えないので現金は手に入らない。ならば、電気が来ている場所まで車で出かけて買い物をしようと思って給油に行くと、ガソリンスタンドは閉まっている。給油機も電気がないと動かない。

そのうち、携帯電話の電池も切れ始める。携帯がないと情報が入手できないが、充電するにも電気はない。発電機が動いている公共施設まで出かけ充電しても、今度は電波が繋がらない。携帯基地局の非常用蓄電池の電源が切れれば、停電が解消する

台風十五号の影響で停電が続くなか、不要になった家財を搬出するボランティアら＝千葉県鋸南町岩井袋地区（写真提供：時事）

まで基地局も機能しなくなるからだ。

大規模な山火事により時々停電が発生する米国カリフォルニア州のテレビ局が停電の備えを発表しているが、その中には「ガソリンスタンドは使えないので車の燃料は常に半分以上に保て」「クレジットカードもATMも使えないので現金をいつも必ず用意しておけ」「携帯電話の中の重要な情報、家族の電話番号などは、紙に書いて持っておけ」「腐りにくい食べ物（ツナ缶、ナッツなど）と水を用意しておけ」などとある。

停電にならないと気が付かないこともあるが、これから多くの人が停電を経験する可能性は高くなるだろう。旧民主党政権時代に導入されたエネルギー政策が供給の安定性を損ねるからだ。旧民主党は電力市場の自由化と再生可能エネルギー（再エネ）導入を推進したが、電力供給の安定化には逆行する政策だった。

## なぜ長期の停電が発生したか

停電が長期化したのには理由がある。まず、大型台風があまり襲来しない地域だったことだ。大型台風の通り道になっている地域では台風襲来により倒木などがしばしば起こっており、いきなり大量の樹木が倒れて電線を切ることは起こりにくい。しかし、普段大型台風が来ない地域では強風により一度に大量の倒木が発生し、多くの箇所で電線を切り停電を引き起こすことになる。

もう一つの問題は送配電線の問題だ。発電所で作られた電気は最高五十万ボルトの超高電圧で送電され、変電所で電圧を下げながら最終的に

やまもと　りゅうぞう
香川県生まれ。京都大学卒業後、住友商事入社。同社地球環境部長などを経て、2008年、プール学院大学国際文化学部教授。2010年4月から現職。財務省財務総合政策研究所「環境問題と経済・財政の対応に関する研究会」などの委員を歴任。現在、新エネルギー・産業技術総合開発機構技術委員、NPO法人・国際環境経済研究所所長などを務める。著書に『電力不足が招く成長の限界』（エネルギーフォーラム）、『経済学は温暖化を解決できるか』（平凡社）など。エネルギー・環境政策について、テレビ、雑誌で積極的に意見を発信、各地で講演も行っている。

は百ボルトになり家庭に届けられる。工場、ビルなどには、電圧を下げる途中の高圧のまま配電されている。送電に高圧が利用される理由は、送電により熱として失われる電気、送電ロスが大きくなることを避けるためだ。電気は電圧が高いほど熱として失われる量が少なくなる。

　高圧の送電を行う場合には、ルートは一つではなく代替ルートがあるのが普通だ。数年前に滋賀県でパラグライダーが高圧送電線の上に張られている避雷線に引っ掛かり宙づりになったことがあった。高圧線に近づくと空気を通して感電することがあるので、救出作業のために関西電力は送電を止めたが停電はしなかった。違うルートで送電を行うことにより、停電を回避したからだ。送電線は事故が発生した場合には空き容量を利用して、事故分の送電を行うことができるように、通常容量の半分しか利用していない。万が一の備えとして代替ルートを確保している。

　今回の台風でも六万六千ボルトの送電線を支える鉄塔二本が倒壊した映像がテレビニュースで流されていたが、この送電鉄塔の倒壊による停電は他ルートを利用することにより、短期間で回復したはずだ。停電が長期化したのは、高圧送電線に加え、家庭などの最終需要家用の電柱から引き込まれる配電線の多くが切れたためだ。送電線と異なり配電線には代替ルートはない。電柱が倒れて配電線が切れれば、電柱を建て、もう一度配電線を引き込むしかない。人海戦術でも時間がかかる作業だ。

目にした作業車が青森ナンバーだったというニュースがあったように、北海道電力から沖縄電力まで、東京電力以外の地域電力会社九社から高圧電源車と人員が派遣されている。東電から応援要請がある前に応援車両と人員が各社から派遣されているが、報道によると九月十七日時点で電源車百七十四台、応援人員七千百二十七名だった。

ネットでは、「北海道電力の作業車を何回か見かけて本当に感謝です」「テレビで電力会社社員の方が、シャワーも浴びていない状況で復旧作業をされていると知り、頭が下がります」などの書き込みがあった。しかし、災害時に助け合う地域電力会社間の協力体制も将来維持されるかどうかは不透明。電力自由化により電力各社が競争を迫られているからだ。

## 電力自由化が阻む協力体制

米カリフォルニア州は一九九八年に電力市場が自由化したが、卸電力会社の売り渋りなどもあって大規模輪番停電が発生した。二〇〇八年のノーベル経済学賞受賞者であり、もっとも信頼できる経済学者とされるニューヨーク市立大学のポール・クルーグマン教授は、カリフォルニア州の状況を見て、市場を自由化してはいけない分野として医療、教育、電気を挙げた。米国ではカリフォルニア州の大停電以降、自由化の動きが中断され、多くの州は電力市場を自由化しない状態が続いている。

日本では、大口需要家向け供給についてはニ〇〇〇年から自由化されていたが、東日本大震災後停電が発生したのは、電力市場を全面自由化していなかったためだと主張するマスメディアが登場した。自由化して供給者を東電以外にも増やしておけば停電しなかったとの解説だ。間違いだが、東電に不満を持っていた人たちはこの説を信じたようだ。

停電は、太平洋岸にある原子力発電所、火力発電所の大半が津波によって被害を受け、発電できなくなったために発生した。海外から燃料を輸入する必要がある日本の原子力、火力発電所は海岸線に建設せざるを得ない。東電以外の会社が電力供給を行っていても発電所は海岸線に設置せざるを得ない以上、自由化で電力会社を増やしても停電を避けることができるはずはない。唯一あるとすれば市場を通した取引により、電力不足の際に電気料金が上昇し、本来の操業を止めて電気を売る事業者が現れることだが、そんな事業者が多くいるとは思えない。

しかし、この説を真に受けた当時の民主党政権は電力市場全面自由化に着手し、さらに発送電分離の検討を開始する。結果、いま電力販売を行う会社は六百社を超えたが、自社で発電所を持つ事業者が増える訳もなく、電気料金が燃料費の変動以上に大きく下がることもなかった。同じ燃料を使って発電する以上、コストに差があるわけはないので当然だ。ただし、地域電力会社間では競争が激化している。地域の枠を超えて販売できればスケールメリットを享受でき、他社よりコストが安くなる可能性があるからだ。

自由化がもたらしたものは電気料金の引き下げではなく、ぎくしゃくする地域電力会社間の競争であり、今回の台風では、東電からの依頼がある前に地域電力各社は応援を出したが、将来地方での人口減少が続く中で競争が激化すれば、地域電力各社は応援を出す余裕もなくなっていくだろう。大きな規模の停電が起これば応援もなく、復旧に長い時間がかかることになる。

旧民主党政権の置き土産で電力供給を危うくし、停電を引き起こしそうな政策もある。太陽光、風力発電などの再エネで発電した電気を買い取る、固定価格買取制度（ＦＩＴ）だ。

## 再エネが高める停電危機

二〇一二年七月に当時の菅直人首相は、辞任と引き換えにＦＩＴの導入を行った。発電した電気を高く買うＦＩＴにより、事業用を中心に太陽光発電設備の導入が爆発的に進んだ。国際エネルギー機関（ＩＥＡ）によると日本の太陽光発電設備導入量は、中国、米国に次ぐ世界三位だ。二〇一二年六月時点で五百六十万ｋＷだった太陽光発電設備量は昨年末に五千万ｋＷ弱にまで増えた。

電気料金で負担される固定価格買取額の総額は二〇一九年度三・六兆円、一ｋＷｈ当たり二・九五円。標準的な家庭では一年間当たり約一万円の負担になっているが、金額を知らない人が多い。電気料金は後払いだ。普通の品物であれば料金を支払う際に買うかどうか考えるが、後払いであれば支払うしかない。明細を見ている人も多くはない。そのため、

# ●太陽光・風力の限界

台風15号の影響で火災が発生したとみられるソーラーパネル（写真提供：時事）

再エネの負担額を知っている人も少ないようだ。

国民負担額抑制のためＦＩＴの見直しが行われているが、二〇三〇年度の再エネ電源主力化の目標に向けて、再エネ電源比率はさらに上昇する見込みだ。再エネ比率の上昇は、停電の可能性を高めることになる。

太陽光発電設備はいつも発電できるわけではない。安価、大量の貯蔵が難しい電気は必要な時に同量を発電、供給する必要がある。太陽光発電設備が発電できない夜間、雨天時に備え火力発電設備を用意しておかなければ停電するが、太陽光発電設備の導入量が増えるに従って、火力発電設備の稼働率は低下する。

電力市場が自由化されているので、稼働率が低下して収益力が落ちた発電設備を電力会社は維持できなくなる。市場が自由化され、ＦＩＴにより風力と太陽光発電設備量が増加したドイツでは、稼働率が低下した新鋭の天然ガス火力発電所が廃棄されている。日本では多くの火力発電所は昭和に建設され、設備の老朽化が進んでいる。閉鎖が秒読みとなっている設備も多いが、稼働率が低下して利益が見込めない設備は建替えられないだろう。停電の可能性が高まる。市場自由化の大きなツケだ。

停電を避けるためには、稼働率が低く収益性のないバックアップ電源設備を電力会社に建設してもらう必要があるが、その資金は電気料金で賄うしかない。当然、料金は上昇することになる。主要国の中で最も早く電力市場自由化を始めた英国では、老朽化する火力発電設備の閉鎖が相次ぎ、停電の可能性が高まった。そのため、英国政府は発電所を建設すれば稼働に関係なく料金を支払う制度を導入した。欧州連合（ＥＵ）の委員からは「総括原価主義を飛び越した社会主義だ」と揶揄されたが、停電を避けるためには仕方がない手段だ。日本もやがて直面するかもしれない問題である。

## 電源多様化の重要性

再エネが増えていくと、台風などの荒天時に停電の可能性も高まる。昨年、今年と米国は寒波と冬の嵐に襲われた。地球温暖化と言われているる時代に寒波の来襲が増えているのは不思議だが、米カリフォルニア大学の研究者によると、温暖化によって温度が上昇した空気が北極上空に流れ込み、上空にある極渦と呼ばれる超低気圧が押し出されて北米大陸に流れ込むことで寒波が発生するらしい。温暖化が寒波も引き起こしているのだ。

二〇一八年に米東海岸を襲った嵐の際には、太陽光と風力発電設備の大半が停止してしまった。シェール革命により天然ガス価格が下がった米国では、競争力を失った石炭火力発電所の閉鎖が続いていたが、東部では稼働率が低下した石炭火力を維持していた。そのため再エネ発電量の落ち込みを石炭火力の稼働で補い、停電を避けることができた。米エネルギー省（ＤＯＥ）研究所は、「電源多様化の重要性を改めて認識した」としている。

ＤＯＥは、電源の多様化の必要性を二〇一四年二月の寒波来襲時にも訴えている。零下二十度を超える寒波のため暖房用天然ガス使用が急増し、需要量がパイプライン能力を上回り、天然ガス火力発電所において燃料が不足する事態となった。さらに、石炭火力発電所でも石炭が凍り付き、粉砕できずボイラーに投入できない事態が発生した。停電を回避できたのは原子力発電所が寒波の影響を全く受けずフル稼働したからだった。

化石燃料のエネルギー自給率が来年には一〇〇％を超える米国でも、原子力を含む電源の多様化が行われている。自給率が九％しかない日本では、化石燃料に依存しない再エネと原子力の活用による自給率の向上が重要だが、再エネには必要な時に発電できない不安が伴う。安定的に電力供給が可能な原子力の再稼働と活用を進めなければ、将来電力供給面から停電の不安に脅かされる。

## 停電を避ける方法は

停電時、停電を避ける方法として電線の地中化に言及しているテレビ番組があった。地中化すれば台風時、倒木による停電などは避けることが可能になる。しかし、地中化のコストは高い。電気料金の上昇を間違いなく引き起こすことになる。人口減少が始まり、二〇九五年には、今の人口の半分まで減少が進むと予測されている日本で大きな費用をこれからインフラ整備に掛けることも難しいだろう。

電気の地産地消を進めれば良いとするテレビ番組もあった。地域に太陽光、風力、あるいは地域の木材を利用するバイオマス発電設備を導入し、普段は送電網につなぎ電力供給を行うが、送電網でトラブル発生時には送電網と切り離し地域に供給を行うアイデアだ。今回の台風のように配電線が切れた住宅には供給できないが、地域に送電を行うことはできそうだ。しかし、実現は難しい。

電気は必要な時に必要なだけ供給する必要がある。送電網では給電指令所が常に需要量と供給量を合わせる操作を行っている。需要量と供給量が一致しなければ、停電する。仮に、地域で地産地消を行うとすれば、誰かが需給量を一致させる必要があるが、そんな設備を設置し、人員を配置することは難しいだろう。

自然災害に備えることは必要だが、いま今回のような停電を避けるための費用負担の少ない方法は残念ながら見つからない。電気は大量に作り、高圧で大量に送電するのが最も価格競争力を生む。私たちができることは、米国が経験したような異常気象時に停電を避けるための電源とエネルギー供給の多様化だ。大きなコストを掛けずとも安定供給に寄与することは早期に実行しておく必要がある。

現在、日本の一次エネルギー最大の供給地域は中東だ。一九七三年の第一次オイルショック時に一次エネルギーの七五％以上を原油に依存していたため、中東産油国の親イスラエル国への原油供給停止発言に日本は肝を冷やした。幸い、供給停止は免れたが、今でも中東への依存度は約四〇％もある。供給の多様化は依然として大きな課題だ。多様化の手段を良く考える必要がある。停電が発生してからでは遅すぎる。

（『WiLL』二〇一九年十二月号初出）

# エネコン通信

日本エネルギー会議
Japan Energy Conference

## 電力の安定供給 支えているのは「現場力」

台風などの風水害で停電がありそうなときに、電力会社の人間は上司からの招集がなくても職場に集まってくる――。こんな話を聞いたのはずいぶん昔の話である。電力事業の現場を訪ねて言葉を交わし、「この人たちは、停電による国民生活への悪影響をなくそうというＤＮＡを先人から引き継いでいる」と実感し続けてきた。おかげで、日本は世界で一番停電の少ない国と評価されてきたのは間違いない。

二〇一九年九月に関東地方を直撃した台風十五号の影響で、千葉県を中心として長期にわたる大規模停電が発生した。これを受けて経済産業省は今後の対策をまとめるため、有識者会議で検討を進めている。十月三十一日の会合で①ドローンを活用した情報収集の迅速化②他電力会社や自衛隊など関係者間の連携強化③鉄塔の技術基準引き上げなど電力ネットワークの強靭化――を三本柱に掲げる方針を示した。年内に検証結果をまとめ、制度面の見直しにも生かしていくという。

### 長期停電は自由化の負の影響

この長期停電について、多くのメディアは「東京電力の見通し甘く、復旧時期が二転三転」などと報じていた。だが、問題の本質は理解されていない。

首都圏の電力供給は東京電力と一括りにしているが、経産省主導で進められている電力システム改革（自由化）を同業他社に先行して、二〇一五年四月から東京電力ホールディングス（ＨＤ）を持ち株会社とし、その下に一般送配電事業が東電パワーグリッド（ＰＧ）、燃料・火力発電事業は東電フュエル＆パワー（ＦＰ）、小売電気事業は東電エナジーパートナー（ＥＰ）という三社が設立され、一年後には事業承継も行われた。今回の当事者は三事業会社のうちの東電ＰＧというのが正確な表現だ。

さらに、電力小売り自由化も進展しているため、電気の契約・料金支払いを新規事業者に変更した需要家もかなりいる。ただし、新規事業者も長年にわたって送電網を整備してきた東電ＰＧの設備を利用しているので、設備の維持・管理はＰＧが担っているのが実情だ。

ならば、停電の責任はやはり東電グループ全体にあると結論づけるのは性急にすぎる。ＰＧとＥＰは自由化による別会社化によって、情報遮断が徹底しており一体となって復旧作業に当たれる状況にはない。自治体との窓口はＰＧになっているものの、発電、送配電、小売りの一貫体制をとっていた時代は、全体で非常事態に対応できるシステムが機能したが、分社化されたこともあり送配電部門もコスト削減の対象に挙げられ、関連・協力会社との連携を確保する余裕さえなくなりつつある。こうした問題は、経産省が取り組むシステム改革の負の影響と多くの専門家が指摘してきたもので、予想された「現場力」の低下が進行している現実を証明したに過ぎない。

それだけに経産省が、一刻も早い停電からの復旧を東電グループに要請したことはたまたま別件で災害復旧現場を見かけたジャーナリストの話を聞いても容易に推測できる。国民に「システム改革がもたらした大停電」ととらえられたら、メンツは丸つぶれとなるからだ。折しも内閣改造が行われ、世耕弘成・元経産相から菅原一秀・前経産相にバトンタッチされたタイミング。事務方は東電グループにかなりの圧力をかけただろう。世耕氏は「早期の完全復旧に努め、復旧見込みについては、迅速・正確に発信する」との指示を出して、経産省を去った。就任したての菅原氏は「東京電力から当初、二日間で復旧するような話があったが、被害状況が激しく、現在、一万一千人のマンパワーで対応している」と見通しを修正した。

台風15号で多くの木が倒れ、大規模停電は長期化した（写真提供：時事）

本を正せば、電力システム改革の制度設計の甘さに帰結する。国民の命と生活を守る基幹インフラを維持し、緊急時の的確な対応にあたるには電力事業者の「現場力」がいかに重要であるかを改めて示したケースと認識すべきだ。机上の議論や監督官庁の指示では「現場力」は保てない。

日本エネルギー会議：代表・柘植綾夫、発起人代表・有馬朗人

# 再エネ賦課金は消費税より高い

石川和男
元経産官僚・政策アナリスト

資源なき日本に残された道は、原子力と再エネの共生しかない！

## 五種類の「再エネ」

エネルギー基本計画では、二〇三〇年を想定したエネルギーミックス（電源構成）について「再生可能エネルギー二二〜二四％」「原子力二〇〜二二％」「火力五六％」という従来通りの数値を維持する方針が示されています。原子力と再エネがどこまで火力の代替となり得るかが、今後の課題となるでしょう。

「再エネ」と一口に言っても、主要五種類の再エネ（太陽光、風力、水力、バイオマス、地熱）にはそれぞれ異なる特色があります。それにもかかわらず、メディアですら十把一絡げに「再エネ」を論じているように思います。

再エネのポートフォリオは国によって様々で、例えば、ドイツは風力の割合が大きく、アイスランドは地熱一〇〇％。アメリカやオーストラリアは太陽光と風力の両方を推進しています。

日本では、FIT（固定価格買取制度）を導入する以前は水力の割合が圧倒的に大きく、バイオマス、風力、太陽光の割合はごくわずかにとどまっていました。

さらに、各々に技術的ハードルと政治的ハードルが存在します。以上を踏まえたうえで、日本の気候・風土に合った再エネの在り方を考える必要があるでしょう。

## 技術と政治

まず水力について、大型水力発電所は国内で既に開発し尽くしていますし、中小水力発電所も技術的に効率を上げない限り、ＦＩＴのような制度が必要になります。

地熱には技術的な課題もありますが、やはり温泉事業者という既得権益との折り合いをつけるのが難しい場合が少なくありません。ここを上手に調整できれば、地熱は有望といえます。

バイオマスの問題点は、燃料の調達方法です。日本は現在、パーム油をはじめとするバイオマス燃料の大部分を輸入していますが、大量の$CO_2$を排出するタンカーで運ばれる他国の燃料を日本国民がＦＩＴで負担していることには疑問を感じます。したがって、国産燃料に切り替えることができれば、バイオマスは優位な電源となり得ます。

風力には稼働率があまり高くないなど技術的課題もありますが、立地

いしかわ　かずお
社会保障経済研究所代表。1965年生まれ。1989年、東京大学工学部卒業後、通商産業省（現経済産業省）入省。エネルギー政策、産業保安政策、産業金融、割賦販売・消費者信用、中小企業、行政改革など各般の政策に従事する。2007年、退官。2008年、内閣官房企画官。規制改革会議ワーキンググループ委員、専修大学客員教授、政策研究大学院大学客員教授、東京財団上席研究員などを歴任。著書に『原発の正しい「やめさせ方」』（PHP新書）、『多重債務者を救え！貸金業市場健全化への処方箋』（PHP研究所）などがある。

が容易で風況の良い地域が限定される日本には、そもそも向いていないのかもしれません。

　それに加え、自治体による環境アセスメントという明確な政治的ハードルが増えつつあります。

　風力発電施設が近隣の景観を損なう恐れがあり、さらに海外では風力の低周波がもたらす人体への悪影響を懸念する指摘も出ています。今後、日本でも地元の同意を得るのが難しくなる局面が増えるでしょう。

　太陽光は既に広く普及していますが、大きな技術的課題を抱えています。ご存じの通り、夜間に発電できない性質ゆえの設備利用率の低さは否定できず、安定的に電気を供給することは現時点では難しいといえます。将来の再エネの柱として、さらなる研究開発が望まれます。

　以上を踏まえると、日本が将来推進すべき再エネは、地熱・太陽光・バイオマスではないかと思います。

　ちなみに、火力は天然ガス利用の拡大もありますが、日本の得意分野の一つである石炭の高効率利用も世界的に期待されています。

　日本がパリ協定で決められた$CO_2$排出削減の目標を達成したところで、世界規模でみればそのインパクトは小さいのが現実です。元も子もないことを言うようですが、世界の$CO_2$排出量の四%に満たない日本ではなく、中国やアメリカの成果に世界の注目が集まってしまうのは仕方がありません。

　日本やドイツをはじめとする先進国にとって、中国やインドといった$CO_2$排出量の多い途上国に自国の省エネ技術や石炭火力の高効率発電技術を供与することこそ、世界規模の$CO_2$削減に最も貢献できる方法ではないでしょうか。

## 代替の利かない原子力

　では、原子力発電はどうでしょう。技術的には実はほとんど問題がない一方、途方もなく高い政治的ハードルを越えることができていないのはご承知の通りです。

　現在、原子力規制委員会の了承を得た原発は、都道府県知事の同意を得たうえで再稼働されることになっていますが、このプロセスのより一層の円滑化が求められます。

　東京電力・柏崎刈羽原発を抱える米山隆一《よねやまりゅういち》新潟県知事（二〇一八年四月に辞任）や中部電力・浜岡原発を抱える川勝平太《かわかつへいた》静岡県知事は原発再

大飯原発三号機

稼働にはかなりの慎重姿勢を示していますが、理解できる部分も多々あります。

原発再開がなかなか進まない現状は、自治体のせいでも、地元住民のせいでも、電力会社のせいでもないのです。永田町と霞が関の怠慢こそが原因ではないでしょうか。

もし総理大臣と官房長官が地元を訪れて、「今ある原発を使い切りましょう」と説得すれば、きっと知事も地方議会も最終的には協力してくれるはずです。政治家と官僚には、長期を見据えた勇気ある行動を期待したいと思います。

ただそれと同時に、国民一人ひとりが、日本にとっての原子力の重要性を認識する必要があることは言うまでもありません。

私たちは感情的になるのではなく、リスクと確率論を冷静に理解する必要があります。

チェルノブイリの事故後、旧ソ連は他の原発を全て止めたでしょうか。スリーマイル島の事故後、アメリカの原発は全て停止に追い込まれたでしょうか。

東日本大震災において、福島第二原発は過酷事故を免れ、震源から最も近い女川原発は住民の避難所になりました。東海第二発電所も無事でしたし、ましてや国内にある他の原発はなんら問題ありません。

## 再エネ賦課金は消費税より高い

一カ所で事故が起こったからといって国内の原発を全て止めてしまう国など、世界広しといえど日本だけです。

ゼロリスク神話に囚われるあまりに、生活の豊かさを犠牲にし続けている状況から、一刻も早く抜け出してほしいと思います。

日本国内では、自動車事故で一日数十人が命を落としているにもかかわらず、誰も自動車の利用を止めるとは言い出しません。なぜなら、自動車なくして現在の生活はあり得ないからです。

自動車と同じで、原子力にも代替手段はありません。シェールガスや太陽光が原子力に代わり得るという主張も見受けられますが、化石燃料の調達コストが高い日本では、原発以上に安定して安価な電源は存在しないのが現実です。

原発の停止によって二〇一一年度から昨年度末まで、日本国民は一人当たり十二万円、総額十五兆円を超える化石燃料の追加負担を強いられてきました。

消費税を一％引き上げると、二・五兆円分もの税収が増えると言われています。

事故後、消費増税を争点に衆参両院合わせて五回もの国政選挙が行われました。消費増税が国民の生活に直結する重要な政策であるという認識がなされているにもかかわらず、国民の大多数は原発が稼働しないことで国民が強いられている巨額の負担について知らないのではないでしょうか。

経済産業省の試算では、既設原発の燃料費は一円／ｋＷｈ、ＬＮＧ（液化天然ガス）は十三円／ｋＷｈ、石炭は四円／ｋＷｈですが、一番安価な原発を停止させたままでは、電気料金が上昇してしまうのは当たり前です。

さらに、電気料金の明細には「再生可能エネルギー発電促進賦課金」という項目があり、消費税よりも高い金額が記載されています。

多くの方は明細など細かく見ていないと思いますが、「再エネ賦課金は消費税より高い」という事実を知れば、再エネへの認識を変える人も多いのではないかと思います。

## メリットだけでなく

一部の妄信的な再エネ推進論者は、既得権を守るため省庁と電事連が結託して太陽光と風力を排除していると主張することがありますが、その指摘は当たりません。

こう言うのもなんですが、原発の関係者は太陽光や風力など眼中にありません。

原発を一基稼働させれば、毎時百万キロワットの電力を二十四時間供給できますが、太陽光パネルや風車で同じだけの電気を賄おうとすれば、いったいどれだけの敷地面積が必要でしょうか。

電力会社も他の上場企業と同様に、株主利益の増進を第一に考えており、もし太陽光や風力が環境に優しく、なおかつ採算が取れるのであれば喜んで受け入れるはずです。電力会社がさほど積極的でないのは、太陽光や風力は採算性が低くＦＩＴなしにはビジネスとして成り立たないからです。

また、太陽光や風力の発電コストが下がっても、高値の固定価格で買い取られる仕組みが存在する限り、国民が恩恵を受けることはできません。発電コストの低下を主張するのであれば、一刻も早くＦＩＴを廃止すべきではないでしょうか。

太陽光と風力の推進を叫ぶ方々には、そのメリットだけを主張する傾向がみられますが、再エネの現実を客観的に眺めたうえでデメリットも同様に明らかにしない限り、真に国民のためのエネルギー政策議論を進めることはできません。

その一方で、再エネを蔑視する一部の原子力関係者にも問題があります。原発推進側が原子力に対する誤解を明らかにする努力を怠ってはなりません。原子力にもデメリットはたくさんありますから……。

例えば、使用済み核燃料の最終処分場が決まっていない、数万年にわたって人体に危険な放射能を出し続けるのではないか、と言われることもあります。

それに対しては、使用済み核燃料の輸送や中間貯蔵の安全性、そして将来の世代に迷惑をかけないための最終処分であることを一つひとつ丁寧に説明する必要があります。

原子力と再エネが共存する方法はあるはずです。原発を稼働させて得られる収益を再エネ導入促進のための技術開発や設備投資に充てることができれば、再エネと原子力の両方を並行的に推進することは十分可能です。

資源なき日本に残された道は何か、現実的かつ建設的な議論を期待したいと思います。

（『ＷｉＬＬ』二〇一八年六月号初出）

# ドイツの大失敗に学べ

## 非効率な太陽光・風力を推進した結果、電気料金は上がり続けている

川口マーン恵美
作家

### エネルギー政策失敗の理由

最近のドイツでは、エネルギー転換の話が、とんとニュースに出てこなくなった。あちこちで行われる州議会選挙の争点にも入っていない。ドイツ人が世界のお手本だとあれほど自負していた「脱原発」も、皆、忘れてしまったかのようだ。ひょっとしたら多くの人は、もう原発はすべて止まっていると思っているのかもしれない。

ドイツのエネルギー転換の始まりは、二十年以上も前に遡《さかのぼ》る。一九九八年、十六年間続いたコール政権が終わりを告げ、SPD（社会民主党）と環境派政党・緑の党の連立政権が誕生した。そして、二〇〇〇年には再生可能エネルギー法ができ、再エネで発電された電気は、必ず全量、決まった値段で送電事業者が買い取ることになった。つまり、持ち家の屋根や空き地に太陽光パネルを付けると、日が照れば必ず儲かる。こんな確実な投資はないから、設置された太陽光発電の容量は、その後の十

六年間で四百倍となった。風力発電も同様で、現在、ドイツに立っている風力タービンは三万基近い。

これら再エネ設備の発電する電気が、二〇一八年は全発電量の三七・八%に達し、二〇一九年には四〇%を超えそうだ。「今やドイツは電気の輸出国である！」と、おそらくこれまでなら、環境派の書くリポートは、ここで「めでたし、めでたし」で終わったことだろう。しかし、今ではそうはいかない。めでたくないことが、山ほどあることがわかってきたからだ。

そもそも、「ドイツは電気の輸出国」というのを一つとっても、鵜呑《うの》みにはできない。送電線に電気が入りすぎると系統が故障し、下手をすると、大停電になりかねない。それでもドイツでは、買取制度のせいで、再エネ事業者は需要が無くても発電するから、送電線はしょっちゅうパンクしかけている。つまり、輸出はたいてい、余分な電気をどうにかして外に逃がすためのやむなき措置だ。時には隣国にお金をつけて引き取ってもらうことさえあるのだから、輸出したからといっても威張れない。

そのうえ、電気代はどんどん上がるし、$CO_2$も減らない。どう贔屓目《ひいき》に見ても、ドイツのエネルギー政策は失敗だ。

## 緑の党の非現実的な話

エネルギー論議が最後に過熱したのは、二〇一七年秋の総選挙後、連立交渉の最中だった。ＣＤＵ・ＣＳＵ（キリスト教民主・社会同盟）と緑の党、ＦＤＰ（自由民主党）が連立を組む直前までいったが、それが最終的にＦＤＰの離脱で壊れた。そのとき、ＦＤＰ党首リントナーは、「ここで討議された多くのことは、有害である。与党となって間違った政治をするよりも、政権に加わらない方がましだ」と言い残して交渉を離脱した。彼が「有害」と言ったことの一つが、「二〇二〇年までに八〜十ＧＷ（八百万〜千万ｋＷ。およそ火力発電十四基分）の石炭火力発電所を廃止する」という緑の党の政策だった。

これは確かに非現実な内容だ。とはいえ、緑の党はたいてい非現実なことしか言わない。ただ、問題はそれに共感する国民が多くいることで、そのため、この国はときどきトンデモない方向に振れる。

しかも、このときは、緑の党の主張をＣＤＵが修正するかと思いきや、メルケル首相は連立交渉が破綻することを恐れ、「では、七GWにしましょう」と、これまたトンデモ妥協案を出したので、リントナーの堪忍袋の緒が切れた。そこで交渉離脱という苦渋の決断に至ったわけだが、この後リントナーは、政権を取るより野党でいることを選ぶ「ヘナチョコ党首」という汚名を着せられ、メディアのサンドバッグになった。以来、FDPは低迷したままだ。

　ちなみに、ドイツのメディアは緑の党のシンパが多く、緑の党と対立する政治家は、たいてい不当な扱いを受ける。ただ、念のために言っておくと、ドイツは二〇二二年末には全原発を止める予定なので、現在の電気事情は、石炭火力の出力を落とせるような状況ではまったくない。緑の党の言うことを聞いていては停電になる。

　ところが今年、ドイツ政府は、二〇三八年までに石炭と褐炭の火力発電所もすべて止めることを決めてしまった。発電における石炭・褐炭への依存率は現在、四〇%を超えているし、石炭火力には、多くの関連会社がぶら下がっている。つまり、石炭火力の廃止は産業構造の激変を伴う危険な決定であるが、ドイツ政府はそれを、$CO_2$削減のためのドイツ国家の良心と熱意の発露のように売り込んだ。発生する失業者の生活保障や代替産業の誘致として、二十年間で四百億ユーロ（約五・二兆円）の補助をすることも決めた。この額では収まらないとみられているが。

## グレタ発言に感動する国民

　そもそも政府や環境派のこれまでの主張では、「危険な原発」と「汚い火力」さえなくなれば、再エネが伸び、清らかな理想の社会が誕生するはずだった。そして、その転換にかかるお金は、緑の党に言わせれば一家族につきアイスクリーム一個分。それを多くの国民が信じた。

　しかし今、原発はすでに半数になったし、電力会社は再エネにパイを奪われて青息吐息。もう、再エネの向こうを張る力など無いどころか、いつ外国資本に乗っ取られてもおかしくない状態だ（すでに、一部はそうなっている）。なのに、電気代は高騰し、$CO_2$は減らない。

　そこで、去年あたりから犯人探しが始まった。実は、失敗の理由は明らかで、政策が物理的にも経済的にも辻褄が合っていないだけの話なのだが、誰も今さらそんなことは言えない。そこで、風力タービンの建設をさっさと許可しない自治体が悪い、いまだに火力発電を止めない電力会社が悪い、送電線の敷設を妨害している住民が悪い、などと枝葉末節に「冤罪」が振り分けられている。

　そんな折の二〇一八年秋、膠着《こうちゃく》状態となってしまっていた舞台に、まさに彗星のように、子供たちの「Fridays For Future」運動が沸き起こった。運動を率いているのは、スウェーデン人の華奢な少女グレタ。その主張は、「エネルギー転換」など飛び越えて、「惑星を救え！」だ。

　少女グレタが無表情で発する言葉には、教祖の呪いのような怖さがある。惑星を滅亡から救うためには、今すぐ、国民がもっと痛みを感じるような行動に踏み切らなければならない。火力発電を止めるだけでなく、車に乗るのもやめ、飛行機も豪華客船も避け、肉も食べるな。さもなければ、地球はまもなく（約十年後に！）取り返しのつかない状態になって、一途に滅びの道を歩む。こうなってしまったのも、すべては無責任な〝大人〟のせいだ。よくも私たちの未来を壊してくれた……。

　そして、罵倒された大人たちが、皆、いたく感動している。

　一方、政治家にしてみても、この運動はいたって好都合。なぜなら、国民がこの無理無体に夢中になっているうちは、$CO_2$が減らないのも、電気代がEU（欧州連合）で一番高くなってしまったのも、もはや政府のせいではなく、$CO_2$削減に真剣にならない産業界、ひいては国民自身のせいであるからだ。もちろん、緑の党も、自分たちの作戦をさっさと「Fridays For Future」支援に切り替え、メディアはグレタを持ちあげる。政府と緑の党とメディアは、常に一蓮托生だ。今ではすっかり、「地球の温暖化は先進国の人間全員の罪業」というのが国民の常識となった。前述の二〇三八年までに火力全廃というのも、この波に乗ったドイツ政府の甚《はなは》だ無責任な政策といえる。ただ、多くのドイツ国民はそれを寿《ことほ》いでいるので、外国人の私が口を出すことではないかもしれない。

## 高く買い安く売る

　しかし、エネルギー政策の欠陥が煙幕で隠されても、おのずと真相は染み出してくる。

　電気の価格は需要と供給の釣り合いで決まる。自由市場だから当然のことだ。ゆえに、これまで電力会社は、常に需要を見ながら発電量を調整してきた。電気は貯めておけないから、需要が減れば、価格の暴落を防ぐため発電を控える。

　ところが、再エネが増えるにしたがって、それが機能しなくなった。再エネの発電者は全量買い取り保証があるので、日が照り風が吹けば、需要の有無にかかわらず発電する。当然、買い取り費用がものすごい額となっている。大型業者による発電については二〇一四年から、すでに固定価格での買い取りは停止され、部分的入札制になってはいるが、それ以前の契約には二十年間の買い取り保証があるので、買い取り額はなかなか減らない。しかも、電気はしょっちゅうだぶつき、電気の市場価格は安く止まっている。

　ところが、ドイツ国民は、その安い電気の恩恵にまったく与《あずか》れない。なぜなら、高く買い取られた再エネ電気が、安い市場値段で売りに出されれば、当然、差額が生じる。その差額分が、再エネ賦課金という名前で、丸々国民の電気代に乗せられているからだ。

　一本の風力タービンは、風が強い地域では、多い時には年間十万ユーロ（約千三百万円）をもたらすという。風に恵まれないところでも二・五万ユーロ（約三百二十五万円）。風力電気は太陽光より買い取り価格は安いが、風は夜でも雨でも吹くので、太陽光の何倍もの発電量が見込める。今では多くの農家が農業を止め、発電業者に土地を貸し出しているという。農業よりも楽だし、利益も良い。こうして二〇一七年、再エネの買い取り額の合計が、約二百五十九億ユーロ（三・三兆円強）に上った。

　つまり、ドイツには、再エネのおかげで大金持ちになった人がたくさんいる。電気は現代社会においては、すでに贅沢品ではない。節約できる量は知れている。なのに、太陽光パネルなどを付けるお金も家もない人たちも含めた国民全員が、再エネ業者の莫大な儲けを再エネ賦課金という名で負担している。環境改善のために良かれと思って我慢しているのだとしたら、気の毒すぎる話だ。

## 上がり続ける電気料金

　再エネ賦課金には、再エネ電気の買い取り費用だけではなく、送電線の建設費や海底ケーブルの敷設費、バックアップのために待機させている火力発電所への補償など、エネルギー転換にかかる費用がすべて乗っている。そんなわけで、再エネ賦課金の額はすでに電気料金の四分の一近くを占めており、一世帯の年間の負担は日本円でいうと三万円近い。ドイツの電気代は、いまやEU一だ。

元はと言えば、これらの再エネ振興策は、石炭・褐炭火力を駆逐するためのものだった。しかし、これによって駆逐されたのは、比較的クリーンな天然ガスだ。というのも、再エネに四割近いシェアを奪われてしまっている電力会社にとって、ガスは高嶺の花で使えない。そこで止むを得ず、安い石炭・褐炭を使うので$CO_2$が減らない。

そもそも、自由主義の市場において、政府の介入で特定の電源（原子力、石炭）を止めたり、あるいは再エネだけを補助金で優遇したりするのが間違いの元だ。とくに、現在の再エネのように、需要も供給も無視して商品を生産するというのは、計画経済の手法だ。しかも、そうして作ったものを、今度は自由市場で売ろうというのだから、うまくいくはずがない。それは、かつてのソ連や東ドイツが十分に証明してくれている。

二〇一九年十月、来年の再エネ賦課金の率が発表された。それによると、一kWh当たり六・七五六ユーロセント（約八・七円）。二〇一七年は六・八八〇ユーロセントで過去最高。その後二年間は、六・七九二ユーロセント、六・四〇五ユーロセントと若干下がったが、二〇二〇年からはまた上がるらしい。再エネ法ができた当時は、一kWh当たり〇・一六ユーロセント（約〇・二円）だったことを思えば、二十年間で四十倍以上の引き上げだ。

大手ニュース週刊誌「シュピーゲル」も同月、ますます高騰する電気料金について何度も警告していた。「この十年で三二%上がった」とか、「来年から三年間で六〇%上がる」とか。

## 急激に進む他国依存

これからさらに電気代が高騰する原因の一つとして、二〇二二年の原発停止による電力不足がある。そこで今、大急ぎで複数のガス火力が建設されている。それと並行して、シェールガスを受け入れるターミナルや、ロシアからドイツへ直接つながる海底パイプラインの第二弾「ノルドストリーム2」も建設中だ。

「ノルドストリーム2」には反対勢力

が多かった。ＥＵは、ロシアのクリミア併合以来、アメリカに歩調を合わせてロシアに経済制裁を科していたし、ロシアのガスへのさらなる依存を嫌うこともあり、パイプラインの建設にストップをかけようとしていた。一方、アメリカも自国のシェールガスを売りたいので反対。東欧の国々は、自分たちの領土を通る陸上

『移民 難民 ドイツ・ヨーロッパの現実 2011-2019』（グッドブックス）

パイプラインの通過料金が激減することを恐れてやはり反対した。デンマークは環境問題などを理由に、自国領海内をパイプラインが通過することを許可せず。そんな中、ドイツだけが、電力不足がまもなく自国の死活問題となることがわかっていたため、強引にこのプロジェクトを後押ししていたのだ。

　そして、今年十月三十日、どういう駆け引きがあったのかはわからないが、デンマークがようやくゴーサインを出し、あっという間に建設は最終段階に突入した。開通は来年の半ばと言われる。胸をなで下ろしているのは、もちろんロシアとドイツだ。ただ、ドイツのロシア天然ガスへの依存率はいまでも四割近いため、このままいけば、国民が気づいたときには、ロシアの天然ガスとアメリカのシェールガスにどっぷり浸かっていたということになりかねない。

　以上が、ざっと現在のドイツのエネルギー事情だが、すでに与党のＣＤＵ・ＣＳＵの中では、「再エネ法を廃止せよ」という声も高くなっている。彼らに言わせれば、この法律は、何の役にも立っていないどころか、すでに国際社会の物笑いの種だ。特に脱原発政策で、世界中を探しても、ドイツの後に付いてきている国などほとんどない。日本、台湾、韓国ぐらいのものではないか。

## 日本が学ぶ本当の話

　もっとも、台湾と韓国はすでに軌道修正が近いと思われる。日本だけは国民が台湾や韓国より豊かなのが仇になっているのか、抜本的な修正

ができない。日本が二〇一二年に導入した再エネの固定価格買取制度（FIT）による再エネの買い取り総額は、二〇一六年が二・三兆円、二〇三〇年には四・七兆円、二〇三〇年までの累積総額は約五十九兆円。再エネ賦課金は二〇一六年で一・八兆円、二〇三〇年に三・六兆円、二〇三〇年までの累積総額が約四十四兆円になるという（電力中央研究所「固定価格買取制度〈FIT〉による買取総額・賦課金総額の見通し〈二〇一七年版〉」より）。こんなことをしていては非常に危険だ。

日本は電気が余っても、足りなくても、ドイツのように隣国と連系線を確保できない。しかも、日本が買っている石油や天然ガス、石炭などエネルギーの値段はかなり高い水準。

そのうえ、自国に豊富な褐炭を持つドイツとは違い、日本はエネルギー自給率が九％台にすぎず、国内資源がほとんどない「エネルギー貧国」だ。太陽光や風力はいくら設備を増やしても、電気は無いときには無い。バックアップ用の火力発電所を絶えず待機させておくなどという無駄は、いくら保証をつけても、いずれ民間会社の手には負えなくなるだろう。

そもそも、気温が二度や三度上がっても地球が潰れることはありえないが、ホルムズ海峡が封鎖されたら日本はすぐに潰れる。これは今や、かなりの確率で起こりうるシナリオだ。そうなれば、あっという間に日本は独立を失う。

日本の産業を、優秀な技術と勤勉な労働者ごと、ごっそり手に入れようと狙っている人たちは、世界にたくさんいるだろう。乗っ取られないためには、今のうちに安全を確保した原発を少しでも動かし、石油とLNG（液化天然ガス）への依存を減らすことだ。そうすれば、貿易収支を改善できるだけでなく、$CO_2$削減というおまけまで付いてくる。

そのうえで、気候の変動に耐えられるよう、現在、化石燃料の輸入や再エネ賦課金に費やしている莫大なお金を国土強靭化に回せばよい。真の意味で国民の生活と環境を守ることができるのではないか。

かわぐち　まーん　えみ
作家。日本大学芸術学部音楽学科卒、一九八五年にドイツ・シュトゥットガルト国立音楽大学大学院ピアノ科修了。ドイツ在住。『なぜ、中国人とドイツ人は馬が合うのか？』（ワック）『住んでみたドイツ　8勝2敗で日本の勝ち』（講談社）、『ドイツの脱原発がよくわかる本』『老後の誤算』（ともに草思社）、『そしてドイツは理想を見失った』（角川新書）、『移民　難民　ドイツ・ヨーロッパの現実2011-2019』（グッドブックス）など著書多数。

（『WiLL』二〇二〇年一月号初出）

太陽光・風力の限界

# さらなる蓄電池技術の開発と利用

東洋大学経済学部総合政策学科教授
小川芳樹

電力供給システムの発想を覆す斬新な力を蓄電池が秘めている

## 「ただちに消費」という宿命

二〇一九年のノーベル化学賞で、リチウムイオン電池の開発に長らく携わった旭化成の吉野彰氏の受賞が発表された。

わが国のエネルギー・環境分野においても、リチウムイオン電池によるこの受賞はまことに悦ばしい朗報であり輝かしい成果ということができる。最近の十年間にわたって熱い視線が注がれてきたスマート・コミュニティと総称される将来技術の展開にも大きな弾みをもたらすものであることは間違いない。本稿では、リチウムイオン電池を始めとする蓄電池技術の進展が電力供給システムのあり方にどんな変化をもたらすのか考えてみたい。

電力というエネルギーは、石油、石炭、天然ガスといったエネルギーとは大いに異なり、貯蔵して取り出すことがこれまでは容易にできなかった。生産すればそれを直ちに消費しなければならないという性格を、電力はこれまで回避できない宿命として負ってきたといえる。石油、石炭、天然ガスはタンクなどに貯蔵して必要な時に取り出せばよいのに対して、電力だけは同時に消費するものしか生産できないという制約を厳しく課されてきたのである。このことが、これまでの電力供給システムのあり方を大きく縛ってきたといっても決して過言ではない。

工場、事務所、家庭などの電力消費は、二十四時間という一日の中でも大きく変動（日負荷変動）し、その変動パターンは主体によっても大きく異なっている。また、この日負荷の変動パターンは春夏秋冬の季節に依存して大きく異なったもの（季節変動）となる。

大規模な電力会社が行う電力供給は、自分の顧客が必要とする個別の電力消費を重ね合わせた全体としての日負荷曲線にミートできる電力の生産を実現できるものでなければならない。このため一年の中で最大となる電力ピークにミートできる供給設備を宿命的に保有せざるを得なくなるのである。

このような電力の最大ピークに併せた供給設備の保有は、必然的にその供給設備の稼働率を悪化させることになる。保有する供給設備総体としての稼働率が低下するため、投資と維持の両面で経済性を悪化させる重い負担を抱えることになるのである。これまでの大規模な電力会社による電力供給の宿命的な問題は、この点にあったといえる。逆に言えば、これまでの電力供給システムのあり方は、国全体の経済性や効率性に一層の改善をもたらすチャレンジしがいのあるＶＦＭ（バリュー・フォー・マネー）の源泉を隠してきたという見方もできる。

## ブレークスルーのために

さて、リチウムイオン電池のような蓄電池技術は、上述のＶＦＭの源泉に対してどのようなチャレンジを実現できる可能性があるのであろうか。第一に、工場、事務所、家庭といった電力の消費主体がそれに相応しい規模の蓄電池を導入した場合、電力消費の少ない夜間に蓄電池に充電して電力消費の多い昼間に蓄電池から放電すれば、電力消費の日負荷変動を大幅に平準化することが可能である。第二に、太陽光や風力など時間変動の大きい発電電力を蓄電池にいったん充電できれば、必要な時に一定の電力として蓄電池から取り出すことができる。

このような蓄電池の二つの機能を考えただけでも、これまでの電力供給システムの発想を覆す斬新な力を蓄電池が秘めていることは如実に理解できるであろう。しかしながら、蓄電池技術がわが国でブレークスルーするためには、検討すべきいくつかの課題と視点が残されている。

## 三つの課題

第一は、当然ながら技術革新によって蓄電池の寿命を延ばしコストを下げることである。現状の三分の一程度までコストをまずは下げることが少なくとも必要になろう。また、夜間と昼間の電力料金に格差をつけて蓄電池の導入に対するインセンティブとすることも重要である。

第二は、再生可能エネルギーに対する長期的な発想のあり方を変化させることである。二〇一二年の本格的な固定価格買取制度の開始によって、わが国の再生可能エネルギーは新局面を迎えることができたが、太陽光発電の過熱にみられるように、全量を電力会社に購入させるという歪みも生み出される結果となった。今後の電力供給のあり方を考えるにあたっては、再生可能エネルギーと蓄電池の組み合わせで消費主体の安定的な自家消費を増加させることによって、電力消費の日負荷を平準化するという長期的な展望を検討すべきではなかろうか。

第三は、近年の欧州、中国を中心とする電気自動シフトの国際的な動きである。電気自動車では当然のことながら、ハイブリッド自動車においてもリチウムイオン電池は欠くことのできない重要な役割を果たしている。一定の寿命を迎えて取り換えとなった自動車用のリチウムイオン電池は、定置用の用途で再活躍の場を持つことができる。このような蓄電池の中古市場を仕組みとして確立することが今後の蓄電池の利用には重要な課題になると考えられる。

ノーベル化学賞の受賞を契機として消費国の柔軟性を高めるオプションに是非ともチャレンジしようではないか。

おがわ　よしき
一九五〇年、岩手県生まれ。一九七九年、東京大学大学院理学系研究科化学博士課程修了。同年、財団法人日本エネルギー経済研究所入所、二〇〇三年理事に就任、二〇〇四年より現職。環境経済、地球温暖化対策、環境税、排出権市場、エネルギー経済、エネルギー安全保障、石油価格高騰、石燃料資源枯渇の研究に携わる。二〇一四年より、経済産業省次世代型製油所選定委員会委員、埼玉県再生可能エネルギー等導入推進基金事業外部評価委員会委員長、二〇一六年より東京都北区環境審議会委員、埼玉県環境審議会会長を務める。

「放射能デマ」に騙されるな

# 人類には原発が必要だ！

石川迪夫
元日本原子力技術協会最高顧問

奈良林 直
東京工業大学特任教授

**人類は電気を食べて生きている。原発再稼働しか選択肢はない！**

## 「原発＝悪」という雰囲気

**石川**　今の原子力に対する日本の雰囲気は、良いと言ったら嘘になります。「原子力＝悪」という風潮がまだ強いようです。

二〇一三年六月に、高市《たかいち》早苗《さなえ》総務相（当時・自民党政調会長）が「原発事故によって死者は出ていない」という事実を講演会で話したところ、与党の自民党福島県連の抗議によって、高市さんが発言を撤回させられたことがありました。どうしても「原子力＝悪」にしないと気が済まない。震災ではなく、事故への怨念《おんねん》がまだ払《ふっ》拭《しょく》されていない。悪くいうのではありませんが、事故後もう九年、このような感情がまだ福島に残っていることが、今の社会風潮の根底にあります。

**奈良林**　福島で被災して、当時仮設住宅にお住まいの方とチェルノブイリ原発のあるウクライナに二〇一三年に行きました。チェルノブイリの原発事故は一九八六年に起こり、福島第一原発事故の二十五年前の出来

いしかわ　みちお
1934年、香川県生まれ。東京大学工学部卒業。1957年、日本原子力研究所へ入所。安全解析部長、動力試験炉部長、東海研究所副所長等を経て1991年より北海道大学工学部教授。その後、2005年から日本原子力技術協会の初代理事長、最高顧問を歴任。現在は原子力デコミッショニング研究会会長。

事ですが、福島の方が「チェルノブイリの事故で被災した人たちが、その後どういう生活になったのか見てみたいので連れて行ってください」とおっしゃるので、約三十人の方とともにウクライナを視察しました。

　チェルノブイリ原発事故の後、五年間も作業員の宿舎となっていたプリピャチ市というゴーストタウンがあります。その後、作業をする人がいなくなったらそこは廃墟になった。原発事故でそのまますぐゴーストタウンになってしまったんじゃなくて、事故後も作業員は寝泊まりしていたんです。

　チェルノブイリから電車で東に三十分程の場所に、スラブチッチ市という街があります。事故から一年八カ月で二万四千人が住めるニュータウンを建設し、二年以内に被災者が仮設住宅から移り住んで幸せを取り戻しました。コンセプトは「子供が楽しく暮らせるワンダーランド」。今でも約二万四千人が暮らしています。

　福島の人がそこの展示館を見て、「涙が出るほど悔しい。なぜ日本政府はそういうことをやってくれないんでしょう」とおっしゃっていました。

　さらにキエフの病院にも行きました。内科と精神科の先生がいらして、内科の先生は、「被ばく線量が三百ミリシーベルト以下の方は一般の人と変わりません。福島の人はそれほどの線量は浴びていないはずなので安心してください」と言っていました。

これはチェルノブイリ事故から二十

七年かけて集めた二万三千人の治療データに基づくもので信頼できます。

精神科の先生は、人体に与える影響としては放射線汚染（radiation contamination）より情報汚染（information contamination）が恐いと話していました。

情報汚染が風評被害を生み、それによって人々が精神的な圧迫を受け、鬱《うつ》やアルコール依存症になる。日本でもそのような方が増えないように気を付けて下さいと言われました。

ところが、マスコミが連日のように「福島は危険だ」と報道して風評被害が発生したため、住民の方が未来の希望を失ってしまい、震災関連死で二千人近く亡くなっています。風評被害で故郷に帰ることもできない。

事故自体で亡くなった方はいませんが、病院で寝たきりの方を無理やり避難させたり、仮設住宅での生活を強いて被害者が増えているのです。

福島の事故の影響を百倍大きくしたのはマスコミの報道だと思っています。

ならばやし　ただし
1952年、東京都生まれ。東京工業大学大学院理工学研究科原子核工学修士課程修了。東芝に入社し原子力の安全性に関する研究に携わる。91年、工学博士。同社原子力技術研究所主査、電力・産業システム技術開発センター主幹を経て、2005年、北海道大学大学院工学研究科助教授に就任。専門は原子炉工学。07年に同大学院教授、13年に学科長、16年から名誉教授。特任教授として研究、教育を継続。各種メディアでも活躍し、講演実績も多数。

**石川**　福島の被災者にも色々な人がいる。

一方で、ウクライナまで行き、実情を調べ、日本の今後を考える人たちがいる。他方で、今なおテレビが報じるお情け頂戴番組に共感して、「東京電力はダメ、原子力はダメ」と憎しみの感情に動かされる人がいることも事実。

この相反する思考の狭間からどのように脱却していくか、脱却して、未来に向けての民意を整えるのが政治家の役目、それは決断にあると思う。これは、日韓に横たわる問題と同じで、問題は政治家に決断する勇気があるか、ないかです。

## ウクライナの悲劇

**奈良林**　ウクライナではチェルノブイリ事故の後も、事故を起こした四号機の隣の三号機を含め、しばらく原発を稼働させていました。

ところが五年後、「原子力モラトリアム」という原発稼働に猶予期間を設けることを国会で決議したのです。それで原発が止められてしまった。

ウクライナの主要産業は製鉄と造船。中国がウクライナから中古の空母を買ってニュースになりましたが、ウクライナは当時から空母を作れる技術があったのです。

ところが、原発を止めてしまったので、停電が頻発《ひんぱつ》するようになった。すると工場が操業できなくて製鉄ができない。製鉄ができないと船も作れない。結局、ウクライナの産業、経済が壊滅的な打撃を受けました。その産業で働いていた人が職を失い、何万人もの人が路頭に迷い、飢え死にするケースもあった。

お金がないためにロシアから高い天然ガスが買えなかった。塗炭の苦しみの中、最終手段として原発を再稼働しました。その結果、電力も確保されて暖をとることができ、食事を摂ることもできるようになり、徐々に経済が復活していきました。

チェルノブイリ事故で被曝した方々が設立した「ゼムリャキ」というNGO団体があります。ウクライナを訪れた際、その団体の方と話をすることができました。この方が別れ際に言われた、「人類には原発が必要だ。これだけは伝えておきます」という言葉がとても印象的でした。

**石川**　海外で福島事故の影響を一番受けたのは台湾でしょう。

建設中の第四原子力発電所を除いて、台湾の原発は押し並べて、四十年近く働いてきた古参発電所が多い。問題の発端は、福島事故を受けて沸き起こった反対運動に狼狽《ろうばい》した馬英《ばえい》九《きゅう》前総統が、福島事故発生時の菅直人政権が定めた「原発寿命四十年」に同調したことです。

それに追い打ちを掛けたのが、後任の蔡英文《さいえいぶん》総統の「二〇二五年に原発ゼロ」との決定です。台湾は今後その方向に進むでしょう。台湾電力は国営なので職員は皆役人、総統が右と言えば右です。台湾電力では、今、廃炉に関心が集まっている。

この台湾の社会状況を作るのに大きく寄与したのが、我が国の菅元首相。福島の被災者と称する反対派と一緒になって、度々台北《タイペイ》へ出かけて、反原子力キャンペーンを繰り広げた。

気の毒なのは、これまで産業振興に貢献してきた台湾の原子力関係者たちで、政治に圧迫されて物が言えない状態に置かれている。日本と同じくエネルギー資源のない台湾は、これからが大変。苦労をすると思う。

蔡総統は、台湾とフィリピンの間にあるバシー海峡を吹く風を利用した風力発電で賄《まかな》えると言っているが、これは絵に描いた餅でしょう。この間も台湾で大停電があって世帯の半分が被害を受けた。こんなことがしょっちゅう起こるんじゃないかな。

**奈良林**　台湾だけでなく韓国にも感染し始めました。韓国も資源がない国。それでも原発でなんとか産業を維持してきたのに、文在寅《ムンジェイン》大統領の一言で止めるという方向になり始めている。韓国電力の役員もそれに同意して、建設中の古里《コリ》五、六号機の停止に応じたというから。ただ韓国では、それに反発して、現場の労働者や、昔からの原子力関係者三万人がデモを起こしたそうです。

## なぜ原子力が必要なのか

**石川**　なぜ電気が必要なのか。それは「単位」が教えてくれます。電気の単位はキロワット時。食糧の単位はカロリー。この二つは換算できます。換算できるのは、モノが同じだからです。円とドルが換算できるのはモノが同じ、お金だからです。

これと同じで、カロリーとキロワット時が換算できるのは、電気と食糧が同一のモノだからです。電気は食糧と考えるべきです。従って、食糧安保があるように、エネルギー安保は必要です。ただ電気は、人間しか使えませんが。

動物は餌があれば繁殖します。人間も、エネルギーという食糧を使って、数を増した。約二万年前の狩猟生活時代、地球人口は約八百万人と言われています。

それが千年前の中世には二億から四億人に増えた。農業を覚えて、食糧を安定して手に入れたからです。さらに二百年前には、産業革命で石炭や原子力のエネルギーを使い始めて、今や人口は七十億人。

七十億人に増えた地球人口を、原

子力なしで未来永劫、食べさせていく手段があるでしょうか。その悲劇が実際に起こったのがウクライナ。あれだけの技術を持っている国で、餓死者が出てしまった。これは他人事ではありません。

終戦直後の日本は、アメリカから油を搾ったトウモロコシの滓《かす》を買って、命をつないだ。粉にして水と混ぜ、かまぼこ板に張った電極でパンにして食べるのですが、電圧が下がるとパンにならない。そんな朝は、朝食抜きの通学だった。戦後の一、二年間、そんな食糧事情の下で育ったから、電気は命そのものだった。

さらにそれから十年、復興が始まった昭和三十年代は、「三種の神器」(白黒テレビ、洗濯機、冷蔵庫)の時代。女性の労働が軽減され、夜なべ仕事からも解放されて、テレビを囲んでの一家団欒《だんらん》が訪れた。これも電気のお陰ですよ。

**奈良林**　私が子どもの頃は、「鉄腕アトム」が夢のロボットとして少年たちの憧れでした。

さらに一九七三年に第一次石油ショックがあって、中東の石油依存からの脱却が日本の課題になった。電気料金は第一次石油ショックで約五割上がった。第二次石油ショック(一九七八年)でまた約五割上がったので、二度の石油ショックで電気料金が二倍になったのです。

このままでは石油の値段がどこまで上がるかわからないということで、準国産エネルギーである原子力の比率を高めていく必要がありました。大阪万博会場に原発の電気が届き、大拍手となりました。原発が電気料金の抑制と高度経済成長に寄与してきたという事実を忘れてはならない。

**石川**　日本で原子力を始めた頃の原子力の研究開発は、各国独自で行っていた。互いに秘密で、他国に技術や情報を教えることはなかった。昭和三十年頃、イギリス、アメリカで原子力発電が始まり、売り込み競争が始まって海外の技術情報が入りだした。私は一九六六年に、安全性研究で米国のアイダホ国立実験所に留学を許された第一号生徒ですが、その当時は米国でも、系統だった原子力の安全理論はまだなかった。

その状況を変化させたのが石油ショックです。その経済的、政治的な打撃をいかに抑えるかというテーマで、フランスのランブイエ城に主要国の首脳が集まりました。それが今日のG7サミットのはじまりです。

原子力発電は石油ショックの対抗

手段として、その中長期計画に組み入れられ、実現を図る手段として、安全性の研究協力がOECD（経済協力開発機構）のもとで始まった。その中で、米国に協力して懸命に取り組んだのが、日本とドイツです。

新三国同盟などと、やっかみ半分でうらやまれたものでしたが、その成果が今のIAEA（国際原子力機関）国際基準、安全設計指針となっている。この指針によって、原子力発電そのものは、非常に安全になったといえます。

## 二度の過酷事故と安全性研究

**奈良林**　一九七九年に米スリーマイル島の事故が起き、アメリカの原子力発電は、以降二十年ほどの間、沈滞した。その原因は、原子炉の補助給水ポンプの点検の際に締めた弁を開け忘れた単純ミスに起因しています。旧ソ連で起きたチェルノブイリ事故は、低出力時に制御棒を挿入して反応を止めようとしたら暴走を始める危険な領域があることを運転員が知らされていなかったことに起因します。これらは運転員が思いもよらないところから大事故に至ったもので、その後、リスク評価が発展するきっかけとなりました。

**石川**　米国の原子力は九〇年代に復活しました。その理由の一つは、地球温暖化への危機感でしたが、もう一つに、規制の変化があります。

米国の原発の発電シエアは約二〇%ですが、皆七〇年頃建設されているから、二〇一〇年代には、原発の寿命四十年を一斉に迎えます。二〇%の電気が一斉になくなるのは、米国といえども辛い。

これを憂慮《ゆうりよ》したNRC（米国原子力規制委員会）は、九〇年代中頃に電力会社の社長を集め、原発寿命を四十年から六十年に延ばすことを提案した。ところが、喜ぶと思った提案に社長達が皆横を向いた。原発は儲かるが、NRCの規制がうるさくて、経営者の思うような運営ができない。面白くないから原発はやめようと思っている、という返事だった。

驚いたNRCは、運転管理の規制方針を変えて、新しい原子炉監視プロセス（ROP）を導入した。この結果、米国の発電は、発電実績も安全実績も、飛躍的に向上した。

先年米国に誕生した原子力ルネッサンスには、こんな背景があるのですよ。

**奈良林**　私は一九七八年に東京工業

大学の修士課程を出て東芝に入社しました。東芝の原子力研究所で研究を始めましたが、翌年三月にスリーマイル島の事故が起きた。これで原子力が衰退するんじゃないかと思って会社の先輩に相談したら、「これからは原子力の時代だから安心して研究を続けましょう」と言われた。

その翌年から安全性の研究がものすごい規模で始まりました。寝ても覚めても原子炉の安全性の実験を行っていました。

実験結果を英文でまとめてアメリカの軽水炉情報会議で議論をしました。東芝や日立やGEの技術者らが集まって、研究成果を持ち寄ってNRCと議論をする。

GEの人が日本に来て打ち合わせをするというようなことが始まって、行ったり来たりが始まった。そんなことを十年くらいやっていました。

その間にチェルノブイリの事故が起こるんです。でもまだ原子力は必要ということで研究は続きました。チェルノブイリ事故の反省から、今度は過酷事故への対策がメインテーマになっていきました。

日本の原子力発電が不幸な道を歩み始めたきっかけは、一九七四年の原子力船「むつ」の放射線漏れ事故だと思います。中性子を遮蔽《しゃへい》するのに一番いいのはデンプンですよね。マスコミはご飯粒で塞いでいたとセンセーショナルに報道した。そこから反対運動に火が付き、青森県の大湊港で入港を拒否されたのです。

問題は、その解決を科学技術でしなかったこと。「中性子漏れをデンプンで防いだからもう放射線対策はできている」と言えばよかった。でもお金を払って政治的に抑え込んでしまったんです。その結果、反対運動をして騒ぐとお金がもらえるという錯覚を与えてしまい、火に油を注ぐ形となって、手が付けられなくなってしまいました。

**石川**　余談になりますが、「むつ」はそのあと太平洋を四度航海していま す。敢えて嵐の中に突入して、安定性能も確認したと言います。港の出入りも容易で、「むつ」が素晴らしい船というのは、当時の乗組員全体の感想といいます。こんな事実が日本で報道されていないのは残念です。

**奈良林**　それ以降、原子力を巡る議論における二項対立が決定的になりました。本来、違う考えを持っていても、原発を安全にするという同じベクトルに向かうことができるはずなのに、推進と反対が不毛な議論を繰り返すようになった。「むつ」以来、日本の国益を考えた建設的な議論ができなくなってしまったんです。

## フィルターベントの重要性

**奈良林**　日本で安全性研究が停滞していた時期でも、ヨーロッパは過酷事故の研究を続けていました。

私はスイスの原発に設置された「フィルターベント」(※注参照)を見に行きました。スイスは、スリーマイル島の事故以降、研究・開発を始めて、チェルノブイリ事故の直前にはフィルターベントが既に設置されていました。過酷事故が起きると放射性物質が格納容器のなかにでてきます。除熱ができないときに格納容器が損傷して放射性物質が外部に出てしまう。それを防ぐためにフィルターベントが用意されていて、停電しても大丈夫なように手動でも操作できるようになっていました。

日本の原発の完成度が高い、信頼性も高いというところで止まってしまっていて、その後の過酷事故対策が中途半端になっていました。チェルノブイリの事故がありましたから、発電所自身が緊急停止する仕組みを持った開発は進んでいましたが、日本国内で放射性物質の外部放出を大幅に減らせるフィルターベントが建設されるというところまで進んでいなかった。

**石川**　福島の事故データによって、BWR(沸騰水型軽水炉)ベントの効率が大きく、実用に耐えることが証明されました。

僕は九〇年代、IAEAの委員でした。恥ずかしい限りですが、過酷事故対策をどうするかについては、自信を持って提案する人が委員会の中にいなかったのですよ。

その理由は、参考となる事故例が、スリーマイル島(軽水炉)とチェルノブイリ(黒鉛炉)の、各一件しかなかったからです。一例では、普遍的な事故とは言えず、参考にできないのです。

いま福島事故を経験して考えれば、自然現象に対する安全配慮に問題があったことに気付くのですが、当時はそこまでの考えに至らなかった。

福島事故によって過酷事故の事例が増えました。また溶融、爆発も起きていますから、過酷事故対策を考える上で貴重な参考事例です。今後の安全対策は大きく進むと思います。

原子力関係者へのアドバイスとしては、福島事故を徹底的に究明することにつきます。

**奈良林**　台湾に金山《チンシャン》という原発があります。津波が来たら取水口のゲートが閉じて津波が発電所の中に入らないような対策を取っているのです。

また非常電源用に、高台に十二万キロワットの火力発電所を持っている。台湾は停電が多いので、それに備えて原発の中に火力発電所があるんです。

そこまで対策がしてあるんですよ。だから津波が起こっても大丈夫。それをちゃんと説明すれば台湾で「脱原発」とはならないと思います。

米国は同時多発テロ事件（二〇〇一年九月）を受けて、NRCが「全電源喪失対策の強化を含む指令（B5b）」を非公開で出し、米国内では対策の強化が実施されました。日本の旧原子力安全・保安院にも「B5b」の導入を進言していた。

「B5b」が求めていたのは、例えば、送電線をテロリストが切断して、原子炉を冷却するために重要な海水ポンプをダイナマイトで破壊したというような事態を想定したものです。外部電源と冷却装置喪失の時に炉心が溶融《ようゆう》しないように対策をとりなさいということ。

津波は自然のテロだから、アメリカの忠告を聞いていたら事故の被害は軽減できていたかもしれません。

**石川**　B5b問題は、日本の官僚独特の奢りがなせる仕業、と言えます。テロ対策は国家機密であるから民間に知らせるべきでない、と担当者は考えたのでしょう。

その結果が、情報は秘匿されたままで電力業界に伝わらず、数カ月もあれば作れた非常電源設備の増設が出来なかった。これがあれば、福島事故が防げたことに疑いを入れません。現に五、六号機は非常電源が使えたので助かった。私は、B5bを秘匿したのは、官僚の犯罪と考えています。

## 中国の世界戦略

**奈良林**　中国で開かれた原子力関係の国際会議に出席し、技術展示を見に行ったことがあります。大きなパネルに「AIIB（アジアインフラ投資銀行）を使って、一帯一路に原発を建設します」と書いてある。中国はこれから国内に二百基の原発を建設します。海外にも二百基建てる予定があるようです。今、世界に四百基の原発がありますが、将来は八百基になります。つまり、世界の原発の半分が中国製になるということ。

　中国の原発輸出戦略の第一号がイギリス。最初はイギリス国内からの反発がありましたが、中国の資金が投入されるなら背に腹は代えられないということで決まった。これからもパキスタン、アフリカ諸国と世界中で中国製の原発建設が計画されています。

　中国主導で創設されたＡＩＩＢに各国が協力し、その資金で原発を建設するので、その国はお金を出さなくていいわけです。発電が開始されれば、その電気代の売り上げから返済するので、その国にとってはありがたい。

　中国の技術は、フランスのアレバ社の技術。それを改良して、フランスのＥＰＲ（欧州加圧水型炉）に似たものを作っている。また、米国のウェスティングハウスが中国に原発の技術を提供してしまいました。つまり、フランスとアメリカの原子力技術は中国に全部取り込まれてしまっているのです。

**石川**　中国の政策には裏がありそうだけど。それは黙ってみているしかない。日本のメーカーには頑張ってもらうしかないけど、どのように支援していくかは政治の問題だ。

**奈良林**　我が国の太陽光の普及は目覚ましく、累積導入量はドイツを抜いて世界第二位となりました。しかし、夜間と曇の日は火力発電を使うので、二酸化炭素の排出がなかなか減りません。

**石川**　これら全ての解決策は、日本の原発を早く再稼働させることに尽きる。そのためには原子力規制委員会に努力してもらわないと。福島事故後六年経っても、まだ五基しか稼働していない。規制庁はもっとまじめに働いてほしいね。

　あとはマスコミと政治家。マスコミは反対意見ばかりを電波や紙誌面で流さずに、科学的な視点から原発の安全性を訴える必要があります。

　政治家も毅然《きぜん》とした決断をしないと。なんでもかんでも東京電力が悪いと言うのではなく、日本の置かれた実情を理解して、方針を示してもらいたいね。真摯《しんし》に説明すれば福島の人もきっと理解してくれると思う。

※注　フィルターベント＝原子力発電所で事故が発生した際に、原子炉格納容器内の圧力が高まって破損するのを防ぐため、放射性物質を含む蒸気から放射性物質をこし取って放出する装置。

（『Ｗ・ｉＬＬ』二〇一七年十一月号初出）

# エネコン通信

日本エネルギー会議
Japan Energy Conference

## 地球温暖化対策　障壁は環境派の「ユメ」

地球温暖化対策について話し合う国連の会議「COP25」が、二〇一九年十二月二日からスペインのマドリードで開催された。世界百九十の国・地域から、政府関係者が集まって各国の主張を議論する重要な会合だが、それぞれの抱えた事情が交錯するだけに、容易に結論にたどり着ける問題ではない。

この場で、近年、存在感を増しているのが非政府組織（NGO）。自らの主張と異なる国の政策に抗議するデモを行うなど、行動は刺激的な方向に向かっている。会議のたびにメディアが好んで取り上げているのは、環境団体などでつくる「気候行動ネットワーク」が発表する「化石賞」。今回も開幕翌日の三日に日本など三カ国を選んだと発表した。

梶山弘志・経済産業相が石炭火力発電の利用を続ける政府方針を示したことをやり玉にあげ、「二酸化炭素（$CO_2$）の排出が多く、石炭火力を利用するのは、人々を危険にさらすものだ」と決めつけた。「恒例行事」となった感があるが、このような短絡的な発想で問題解決の道筋は描けないだろう。環境派が訴える現実軽視の姿勢こそが、COPで実現可能な地球温暖化対策を構築していく障壁になる可能性さえあると認識するべきではないか。

## 現実を直視しない環境派

「時の人」になったスウェーデンの環境活動家、グレタ・トゥンベリさんも現地入り。六日夜には、気候変動対策を訴えるデモ行進にも参加した。環境派にとって強力な宣伝役になり、言動はますますエスカレートしていく気配が濃厚である。

こうした運動の根幹は、ドイツで政治力を維持してきた「緑の党」の政策にきわめて近い。「太陽光・風力発電など再生可能エネルギーをどんどん導入すれば、全てはうまくいく」といった単純な論法を駆使して、支持を得てきた勢力だ。ところが、本家本元のドイツでは「緑の党」が主導したエネルギー政策の欠陥が次々に明らかになっている。再エネの優先買取制度で電気料金は大幅に上昇、経済へのマイナス影響とともに、メルケル政権の二〇二二年原子力発電ゼロに向かう中、電力安定供給の不安が高まる。

一方、エネルギー資源の乏しい日本は第一次石油ショック（一九七三年）の教訓を活かして、多様な選択肢を確保するエネルギーミックス戦略に転換、その過程で原発を活用してきた。福島事故以降は、原発の安全性向上に注力するとともに、安定供給、経済性、環境性のバランスをとる「S＋3E」を目標に掲げる。

政府は温室効果ガス（GHG）を二〇三〇年度に二〇一三年度比二六％削減する目標を決定。実現に向けて、二〇三〇年度の発電方法の組み合わせを①液化天然ガス二七％②石炭二六％③再エネ二二～二四％④原子力二〇～二二％⑤石油三％とした。資源もなく、島国で他国との電力網を構築できない我が国のエネルギー事情と国民生活の安定、地球温暖化対策に配慮した「ベストミックス路線」であり、現実的な対応だ。

これに対して、環境派は「石炭火力をやめろ」と主張し、原子力にも批判的である。こんな訴えを聞いていたら、日本はエネルギー不足で経済も国民生活も成り立たなくなってしまう。

同様の事情は、先進国、新興国、途上国ともに抱える。英BP資料による世界の$CO_2$排出量（二〇一八年）は、三百三十八億九千八十万トン。最大の排出国は中国で全体の二八％を占める。その中国は広大な面積を活かして再エネ導入を進めると同時に、原子力利用に国を挙げて取り組み、近いうちに世界一の原子力大国になる。十二月初旬には、ロシアから天然ガスを輸送するパイプラインも完成、エネルギー安全保障への体制確立に全力投入だ。

環境派は、日本に「化石賞」を出す前に、エネルギーをめぐる世界の現実と対策をもっと知るべきだ。短絡的な「夢物語」こそが、地球温暖化対策の最大の壁にならないために。

COP25が開幕し、記者会見を開くスペインのサンチェス首相(左)と国連のグテレス事務総長(写真提供:AFP=時事)

日本エネルギー会議・代表・柘植綾夫、発起人代表・有馬朗人

「放射能デマ」に騙されるな

# 信じてはいけない朝日のエネルギー記事

山本隆三
常葉大学教授

**原子力が嫌いなあまり、再エネの弱みは見て見ぬフリ……
現実を直視しないからこうなる**

## 原発のコストは高い？

新聞社は、様々な政策に関し自社の主張を持っている。その主張が客観的事実に基づかなければならないのは当然だが、なかには朝日新聞のように独自の判断基準を持ち、自社の主張を裏付ける事実だけ報道する新聞もある。

時には、判断基準そのものが世界標準から大きくずれていて首を捻《ひね》ることがある。同紙のエネルギー選択に関する主張は、原子力発電は悪、再生可能エネルギー（再エネ）は善との判断基準だけだ。エネルギー政策の判断基準としては、甚《はなは》だ不適当である。エネルギー選択の基準として、コスト（経済性）、環境性能、エネルギー安全保障の三原則を使うのが世界標準だが、朝日は再エネではこの三原則に触れることはまずない。三原則に基づくと、自紙の主張が矛盾だらけになるからだ。

原発は、煙も二酸化炭素も排出しないので環境性能は高い。一旦燃料を装着すれば数年間は運転できるた

『朝日新聞』3月23日朝刊１面

め、準国産エネルギーとされ自給率の向上にも寄与する。コストも相対的に安く経済性もある。原発嫌いの朝日には不都合な真実だが、原発では上述三原則の一つでも崩れると朝日が考える材料があれば、事実関係を正確に調べもせず、あるいは無視し、大きな記事を書くことになる。

　具体例はいくつもあるが、二〇一九年三月二十三日朝刊の一面トップを飾った「原発支援へ補助制度案」記事では、「原発のコストが高いから補助が必要になる。原発の電気は安いと主張してきた従来の政府の説明と矛盾する」と主張している。ご丁寧にも、七面に「『原発安い』矛盾あらわ」との解説記事まで掲載する。

　原発のコストは高いとの主張だが、そこには見落としあるいは意図的と言える曲解があり、エネルギー問題に詳しくない読者を騙すことになっている。朝日の記者は、原発のコストが高いという自紙の主張の根拠として、記事中に挙げている米国と英国の制度を全く勉強しないで記事を書いているのかもしれない。

　朝日の記事の主旨は、「経済産業省が原発への補助制度を検討しており、実現すれば、その負担は基本的に消費者や企業に回ることになる。温室効果ガスを排出しない価値を認め、米ニューヨーク州にて導入されている『ゼロ・エミッション（排出）・クレジット（ZEC）』制度をモデルに、原発の電気に上乗せを認める仕組みだ」というものだ。この制度の背景には安全対策費用の高騰により価格競争力の低下があるとし、競争力があるなら政府支援は不要なはずとのコメントも掲載している。

七面の解説では、安全対策費などがかさんだ原発は投資資金の回収が難しくなっているとして、大手電力会社幹部の「原発はリスクが大きすぎる。制度支援がなければ続けることは難しい」とのコメントを紹介している。さらに、ＺＥＣと同時に英国で採用されている原発からの電気を固定価格で買い取るＣｆＤ制度も検討されているが、議論のテーブルに載せれば世論の反発は必至と結んでいる。

朝日の記者が少しの手間を惜しんだためか、あるいは反原発で視野を狭めたためか、この記事は不正確極まりない内容になっている。記事中に出ているニューヨーク州と英国の制度を少しでも調べれば、もう少しまともな内容になったのではないだろうか。

やまもと　りゅうぞう
香川県生まれ。京都大学卒業後、住友商事入社。同社地球環境部長などを経て、2008年、プール学院大学国際文化学部教授。2010年4月から現職。財務省財務総合政策研究所「環境問題と経済・財政の対応に関する研究会」などの委員を歴任。現在、新エネルギー・産業技術総合開発機構技術委員、NPO法人・国際環境経済研究所所長などを務める。著書に『電力不足が招く成長の限界』（エネルギーフォーラム）、『経済学は温暖化を解決できるか』（平凡社）など。エネルギー・環境政策について、テレビ、雑誌で積極的に意見を発信、各地で講演も行っている。

## 原発が必要なニューヨーク州

ニューヨーク州のＺＥＣ制度に関して、世論の反発は報道されていない。それどころか、朝日が大好きな再エネ関係者の支持を受けている。再エネ関係者の大多数は反原発のはずだが、なぜだろうか。ニューヨーク州がこの制度の導入を考えた背景には、シェール革命による天然ガス価格の大きな値下がりがある。

米国の電源別発電コスト（セント／ｋＷ時）の推移をエネルギー省データで見ると、原子力発電コストは二〇〇七年二・〇三二、二〇一二年二・七四二、二〇一七年二・四三八とほとんど変化はない。

一方、天然ガスタービン他小規模電源のコストは二〇〇七年六・四三八、二〇一二年三・五六七、二〇一七年三・一六七と大きく値下がりしている。二〇〇七年に三倍以上あったコスト差は、二〇一七年は三〇%に縮まっている。シェール革命により天然ガスの生産が増え、価格が大きく下落したためだ。

天然ガス発電のコストはさらに下落する可能性がある一方、ニューヨーク州の原発六基のうち五基は運転開始後四十年を超えており、将来老朽化により維持費が上昇する可能性がある。米国では今原発の八十年運転が視野に入っており、長く運転することは可能だが、運転開始後四十年以上経過してすでに投資額を回収していることから、原発の事業者は閉鎖を考え始めた。

閉鎖されると、ニューヨーク州には前述のエネルギー政策の基本三原則全てにおいて大きな問題が生じることになる。一つは、電力の安定供給だ。米国の原発の稼働率は極めて高く、ニューヨーク州の電力供給の約三分の一は原発からの電気に依存している。原発からの電気がなくなれば、二酸化炭素の排出量も増加する。さらに厄介な問題は、電気料金の上昇だ。原発が閉鎖されると供給力が少なくなり、日本と同様に自由化されている電力市場では、市場原理に従って電気料金が上昇する可能性が極めて高い。

エネルギー政策の三原則すべてに問題を抱えることになるのに、自由化市場の州ゆえ、州政府が料金を規制することもできない。そんな中、原子力発電継続への補助制度として考え出されたのがZEC制度だ。

自由化市場で十一基の原発を抱えるイリノイ州も、ZEC制度を導入している。ニューヨーク州のZECは、二〇一五年の二酸化炭素価格一トン当たり四十二ドルに基づいて決められ、二〇一八年の価格は一kW時当たり一・七五セントとなっている。米コンサルタントによると、ニューヨーク州の温室効果ガス削減目標実現のための原発維持による電気料金引き下げ効果は年間十七億ドル(約千九百億円)、ZECコストは年間約五億ドル(約五百五十億円)。ZECを上回るメリットを電力需要家が得ているとの分析結果になっている。このZECのメリットは、裁判でも認められた。

ニューヨーク州で原発を保有しな

い電力事業者は、ＺＥＣ制度は州の権限ではなく州政府は連邦政府の公共事業規制委員会の権限に踏み込んでいるとして、二〇一六年に訴訟を起こした。二〇一七年連邦地裁で敗訴したため原告は控訴したが、昨年九月連邦控訴裁判所でも敗訴した。その判決文の中で裁判長は、ＺＥＣは電力供給量を増加させ、結果として電気料金を引き下げていると指摘している。同様の訴訟はイリノイ州でも起こされたが、同じく州政府の権限との判決が出された。

　この判決が再エネ関係者により歓迎されたのは、エネルギー供給に関する補助制度が州政府の権限と認められたためだ。トランプ大統領は、温室効果ガス排出抑制を決めた国際的な取り決めであるパリ協定からの脱退を決め、「温暖化問題は先進国の競争力を奪うため中国が作り出した陰謀」とツイートするほど温暖化懐疑論の立場に立っている。

　大統領選で支持を受けた石炭関連労働者に報いるため、石炭を中心に化石燃料支援に熱心で再エネには極めて冷淡といえる。エネルギー関連の補助制度が、トランプ大統領の連邦政府ではなく州政府の権限と認められたことは補助制度を必要とする再エネ関係者にとって歓迎すべきことなのだ。

　朝日の記者が判決文を少しでも読んでいれば、いくら反原発が社の方針でも原稿を書く時に多少は躊躇《ちゅうちょ》し、内容も考えたのではないだろうか。ＺＥＣは原発のコストが高いから取られた制度ではなく、安定的な供給量を環境性能の高い電源で維持し電気料金を抑制する制度なのだ。同じような分析力のなさは、英国の制度に触れている内容でも見られる。反原発を前提に偏った取材を行い、それをもとに原稿を書いているということだろう。

## 安定供給に悩む英国

　英国の産業革命を支えたのは、それまで利用されていた薪よりも発熱量が高く蒸気機関の利用を可能にした石炭だった。

　二十世紀初頭に英国の石炭生産は年三億トン近くに達したが、第二次世界大戦後は石油の登場により相対的な価格競争力を失い、生産数量は急減する。一九七三年のオイルショックにより石炭は復活したが、坑内掘りが多い英国の石炭は価格が高いため、生産数量は減少を続けた。二〇一五年十二月には英国最後の坑内掘り炭鉱が閉山され、英国は海外からの石炭輸入により石炭火力発電所を維持することになった。

しかし、二〇〇八年に英国で成立した気候変動法により二酸化炭素排出量が多い石炭火力の閉鎖が急がれることになり、二〇一二年から二〇一六年にかけ一千万kWの石炭火力発電所設備が閉鎖され、英国全土の発電設備量も八千九百万kWから七千八百万kWに減少した。

二〇二五年までには、温暖化対策のため石炭火力発電所が全廃される予定になっている。さらに現在十五基、約九百万kWの設備により電力供給量の二一%を担っている原子力発電所も、二〇二三年と二〇二四年に半数以上の八基が閉鎖される予定になっている。

英国は電力輸入をフランスなどから行っているが、送電能力には限りがある。このままでは停電する可能性が出てくるので発電設備の建て替えが必要だが、市場が自由化されている英国では電力価格は先行き不透明だ。

さらに、将来の化石燃料価格も読めないため、どの発電設備の稼働率が高くなり収益を生むか分からない。下手をすると需要がピークになる冬季の数週間しか稼働しない設備になり赤字になるかもしれないため、どの事業者も発電設備新設を躊躇することになる。このため、英国政府は発電設備建設を支援する制度を創設することになった。

火力発電所は、燃料価格次第で稼働率が大きく変動する。将来の燃料価格、稼働率が見通せない状況下で設備建設が滞ることから、設備を造れば設備能力に合わせ料金の一部を受け取れる容量市場と呼ばれる制度を創設した。容量市場で発電設備に支払われる金額は電気料金に上乗せされ、消費者が負担する。

投資額が将来の発電コストを決めることになる風力などの再エネと原子力発電は、火力発電との競争次第では稼働率が落ちる可能性があるため投資回収が見通せなくなり、事業者は投資を行わない。このため、再エネと原発から発電された電気を一定額で買い取り、事業者に投資回収を保証する制度CｆDが導入された。

## 英米のシステムが必要な理由

日本の発電設備も老朽化が進んでいるが、市場は自由化されており、英国と同じく発電設備の建て替え、あるいは新設を事業者は躊躇することになるだろう。特に、価格競争力があり日本の電力供給量の約四分の一を担っている石炭火力発電に対する風当たりが温暖化問題により強くなり、石炭火力設備建設の先行きが見えにくくなっていることが、将来の発電設備建設の見通しをさらに難しくしている。

　再エネに関しては、買取価格が年々引き下げられてはいるが、固定価格買取制度（ＦＩＴ）による支援があり将来の収益が保証されている。安定的な発電ができない再エネの発電設備にはバックアップ電源が必要だが、再エネ導入量が増えるに従ってバックアップする火力発電設備の稼働率は落ち、収益を生まなくなる。この状況下で、閉鎖される発電所を代替する設備を新たに建設する事業者は出てくるのだろうか。

　将来の停電を防ぐため、さらに安定供給実現に必要な電源の多様化、温暖化問題への対処を考えると、原発の建て替えあるいは新設が必要とされる。だが、自由化された市場では将来の電気料金が見通せないことから、投資額が巨額でありその分投資リスクも大きくなる原発を建設する事業者は出てこない可能性が強い。英国と同様に発電された電気を買い取ることにより投資回収を約束しないと誰も投資を行わない。

　自由化された電力市場では、停電を引き起こさないように十分な発電設備を維持する必要がある。そのため、電力市場を自由化した国はどこも頭を悩ませている。

　英国が導入した容量市場についても、欧州委員会は不当な政府補助の可能性があるとして調査を行っており、現在制度運用は中断している。ドイツは、老朽化した石炭火力発電所を閉鎖せず「戦略的予備力」との名称で維持し、電力需要急増時に利用する計画を立てているが、他の欧州主要国からは温暖化対策に逆行する動きと非難されている。

　米国のＺＥＣ制度は、原子力発電設備を維持し電気料金上昇を防ぐために考えられた制度だが、発電設備の老朽化が進む日本でも設備を維持するため必要な制度だろう。原子力発電のコストが上昇したため導入される制度ではない。英国のＣｆＤも停電を避け電気料金上昇を防ぐため、初期投資額が膨らむ再エネと原子力設備用に導入された制度だ。

　日本においても適切な制度が導入

されなければ、事業者は老朽化した発電設備の建て替えを行わない。FITに支援された再エネ設備の導入だけが進むことになる。その結果は電気料金上昇と停電発生の危険性を高める。天候次第の発電になる再エネ設備の発電量は、例えば台風が来ればゼロに落ち込む。その時に発電する十分な設備がなければ、停電が起こってしまう。

朝日は、不勉強なのか意図的なのか、原発に関する補助制度だけを取り上げているが、やがて火力発電設備にも、英国のような制度の導入が日本でも議論されることになる。

## 賢明な読者から見放される

再エネからの電気の固定価格買取について、朝日は反対するどころか推進派だ。時には、再エネ事業者の収益が消費者の利益に優先するとの記事まで掲げる。

二〇一九年一月十四日「再生エネ、使い切れない矛盾」の中で、九州電力の出力制御により太陽光発電事業者が減収になったと具体的な数字まで挙げている。事業者が減収になるということは、消費者が支払う固定価格買取額が減額され電気料金抑制につながるが、当然記事に説明はない。まるで、再エネ事業者の利益が消費者（公共）の利益に優先するとの書きぶりだ。

記事の後半では、原子力発電所の稼働により再エネからの引き取り余力が少なくなっており、再エネ主力化には逆行する動きと解説している。しかし、エネルギー基本計画に定められた二〇三〇年の電源構成では再エネ二二～二四％、原子力二〇～二二％であり、温暖化対策を進め、電力の安定供給には原発の稼働も当然必要になることには全く触れていない。原発に代わり再エネ設備を稼働すると電気料金は上昇することになるが、これも記事では触れない。消費者が電気料金の形で再エネを嫌でも支援させられ、電気料金が上昇することを朝日は気にかけようとしない。

停電を避けるためにも、電気料金の上昇を防ぐためにも、さらには二〇三〇年の電源構成を達成するためにも、欧米と同様の制度が必要なことを朝日も理解した方がよい。原子力が嫌いなあまり恣意的な記事を書き、読者を欺《あざむ》くことをいい加減に止めないと、賢明な国民はやがて朝日の記事を信じなくなるにちがいない。

（『WiLL』二〇一九年三月号初出）

「放射能デマ」に騙されるな

# 「原子力は恐ろしい」なんてウソだよ

髙山正之 ジャーナリスト
奈良林 直 東京工業大学特任教授

「放射線＝悪」と決めつける朝日とＮＨＫのデマに騙されないように

## 原子力への誤解

**髙山**　初めまして。奈良林先生とは、原発は安全だ！　という話をしたかったんです。

**奈良林**　光栄です。髙山先生のご著書は何冊か読ませていただきましたが、おそらく話が合うんじゃないかと思います。特に、朝日新聞について(笑)。

**髙山**　僕は原発に縁があって、産経新聞に入社して水戸支局に配属されました。

**奈良林**　東海原発や原子力研究開発機構（原研）の近くですね。

**髙山**　そう、だから東海村にはよく取材に行きました。原研の研究用原子炉を見学して、プールの底で輝く青白い火を見た。いわゆるチェレンコフの光で、それに感激してずっとあとに『チェレンコフの業火』という小説を文藝春秋から出版しました。だからずいぶん勉強もしました。

**奈良林**　当時、原子力発電は「夢の技術」とされていましたね。

**髙山**　どこかの記者が初めて取材に

いくと、東海村の担当者は放射線測定器《ガイガーカウンター》をもってきて施設の中で鳴らしてみせる。その後、テレビのブラウン管や腕時計の夜光塗料にも測定器をかざすともっと強く反応する。そうやって原発は危険ではない、身の周りにあふれているのだと説得する。ほんとに涙ぐましく見えました。

**奈良林**　丁寧な対応ですね。でも裏を返せば、日本人の中に「原子力アレルギー」があったということです。

**髙山**　すでに、反原発イデオロギーを振り撒く連中がいた。それに馬鹿な新聞記者がすぐ乗せられる。だから記者が偏らないよう、懸命に説得していたんでしょうね。

**奈良林**　一九五四年には、第五福竜丸事故もありました。

**髙山**　船員の久保山愛吉《くぼやまあいきち》は被ばくの半年後に亡くなったから、死因は放射線だと大騒ぎになった。でも、直接の死因は肝炎だったはずです。

　あのころから報道は偏っていた。核実験のせいで汚染された〝放射能マグロ〟はだから築地に埋めたっていう話もあったけど、ほんとはちゃんと売りさばいて食べちゃったとも言います。実際、築地移転のあと、埋めたマグロの骨も出てこない。

**奈良林**　いまだに多くの誤解と神話が残されたままですね。

**髙山**　福島の原発事故も、事故原因は津波なのに、いつの間にか地震で原発がダメになったと思わせる方向にメディアが誘導して、国民の多くも今はそう思っているみたい。基本的な部分を誤解しているんです。

**奈良林**　原子力＝悪という結論ありきで報道するメディアが悪い。

**髙山**　朝日の社説は、たいてい「原発再稼働、資格はあるのか」みたいな文言で終わりますからね（笑）。最初から言いたいことは決まっている。

## NHKのフェイク番組

**奈良林**　NHKも朝日に負けていません。

　二〇一四年、NHKが「メルトダウン」というドキュメンタリー番組を放送しましたが、内容はほとんどフェイクだった。ナレーションの書き起こしを読んで「間違い探し」をしたら、事実誤認が二十カ所、不適切表現が三十カ所。五十分番組だから、一分に一つウソを垂れ流していることになります（笑）。

**髙山**　その中で、一番ひどい間違いは何ですか？

**奈良林**　最大のウソは、福島を汚染した放射線の大量放出は、三号機のベント（格納容器の圧力が高くなったら放射性物質を含む気体の一部を外に出す措置）にあると決めつけていることです。三号機のベントは失敗していますから。

**高山**　本当の原因は？

**奈良林**　一度もベントできていなかった二号機の、格納容器頂部からの直接漏洩が原因です。ブローアウトパネル（原子炉建屋内圧急上昇で開くパネル）は、一号機の水素爆発の衝撃で外れていた。パネルが外れた建屋側面の四角い開口部から出た蒸気が汚染されていたんです。

　東電や原子力学会が出した報告書を見れば明らかなのに、NHKは知らないフリをする。

たかやま　まさゆき
1942年、東京生まれ。東京都立大学卒業後、産経新聞社に入社。社会部デスクを経て、テヘラン、ロサンゼルス各支局長。80年代のイラン革命やイラン・イラク戦争を現地で取材。98年より3年間、産経新聞の時事コラム「異見自在」を担当。辛口のコラムで定評がある。2001年～07年、帝京大学教授。著書に、『アジアの解放、本当は日本軍のお陰だった！』『白い人が仕掛けた黒い罠―アジアを解放した日本兵は偉かった』、共著に『こんなメディアや政党はもういらない』（和田政宗）（以上ワック）などがある。

**高山**　朝日もNHKも、福島事故の原因究明じゃなくて、いかに原子力が恐ろしいものかを伝えることに力を注いでいる。

**奈良林**　メディアは、事故以来一貫して〝汚染された福島に帰ることができない可哀そうな住民〟を演出しています。NHKの風評拡大番組は地元の方も怒っています。

**高山**　津波で亡くなった方の遺族には、手厚い保護がなされていない。ところが、東電の話になると湯水のごとくカネが降り注がれる。

　避難住民には一人あたり月十万円の手当てが支給されているから、四人家族なら四十万円。〝手当漬け〟の被災者にとって、朝日やNHKの報道はとてもありがたいんでしょう。

**奈良林**　福島事故後の賠償制度が、地元へ戻る気を削いでしまっているのも事実です。でも、本気で故郷の復興を願っている人たちからすれば、根拠のない風評を流布されるのはたまりませんよ。

**髙山**　NHKに何か文句は言ったんですか？

ならばやし　ただし
1952年、東京都生まれ。東京工業大学大学院理工学研究科原子核工学修士課程修了。東芝に入社し原子力の安全性に関する研究に携わる。91年、工学博士。同社原子力技術研究所主査、電力・産業システム技術開発センター主幹を経て、2005年、北海道大学大学院工学研究科助教授に就任。16年から名誉教授。2018年4月より東京工業大学特任教授。2018年1月、国際原子力機関（IAEA）、米国原子力規制委員会（NRC）などの専門家が参加する世界職業人被曝機構の北米シンポジウムで『この1年に世界で最も傑出した教授賞』を受賞。

**奈良林**　専門家の仲間と番組の問題点をまとめて、賛同者二百名の名簿と詳細な解析データを添付してNHKに抗議文を送りました。でもNHKは、「専門家から意見を聞いて作った番組だから間違いない」と誤りを一切認めなかった。我々も専門家なんですが……（笑）。

**髙山**　NHKにとって反原発こそ正義で、原発推進派は悪なんですよ。

**奈良林**　メディアは、センセーショナルな部分だけ切り取って報道しますからね。

## 放射線とワカメの味噌汁

**奈良林**　福島で被災して仮設住宅に住んでいる方と、ウクライナ・チェルノブイリ近郊のスラブチッチという街を訪れたことがあります。そこには、原発事故から二年足らずで二万四千人が住めるニュータウンが建設され、人々は幸せを取り戻しました。

**髙山**　チェルノブイリからどれくらい離れてるんですか？

**奈良林**　チェルノブイリ駅から電車で三十分ほどです。

**髙山**　そんな街があること、ほとんどの日本人は知らないでしょう。

**奈良林**　スラブチッチを目の当たりにした福島の方は、「なぜ福島はこうならないのか」と涙をこらえて悔しがっていました。

キエフの病院も訪れましたが、精神科の先生が「放射線汚染より情報汚染が怖い」と話していたのが印象に残っています。風評被害によって精神的に落ち込んでしまい、鬱やアルコール依存症になって何万人も亡くなった。放射線を浴びるより情報汚染（風評被害）による精神汚染は百倍危険なんです。

**髙山**　福島で子供たちが原発から飛散した放射性ヨウ素のために甲状腺がんを発症している、なんて朝日新聞や活動家が今でも騒いでいる。でも、普段からヨウ素を大量に摂取しています。ワカメの味噌汁もそうだし、蕎麦のつけ汁も昆布ダシですよ。

だから、新たに放射線ヨウ素が体内に入っても、日本人の場合は甲状腺が受け付けずに排出されてしまう。それに甲状腺がん患者は都会にだっているし、死ぬまで気づかないほど進行は遅い。そういう情報をメディアは一切流さずただ騒ぐ。

**奈良林**　ウクライナの人たちは海藻を食べる習慣がないから、放射性物質のヨウ素がそのまま甲状腺に取り込まれました。だから、約二千人もの子供たちが甲状腺摘出手術を受けて助かった。ウクライナの医師から、福島では日本ではさほどひどいことにはならないだろうと〝お墨付き〟をもらいました。

現在は徹底した安全対策によって、原発が炉心溶融する確率は十のマイナス八乗、つまり隕石が落下する確率くらいまで下がっています。それでも万が一、事故が起きてしまった場合に備えて、ヨウ素をはじめとする放射性物質が外に出ないようにするフィルタベントという放射能除去フィルターが設置されています。

**髙山**　原発の安全対策こそ国民に知らせるべき情報なのに、メディアは全く扱わない。

**奈良林**　米国は福島事故を教訓に、安全対策に力を入れている。だから、NRC（米国原子力規制委員会）で東電社員が講演するときは職員総出で聴講します。東電社員は、「戦場」で最後まで逃げずに事故を収拾させた英雄扱いです。

**髙山**　英雄にもかかわらず、作業員が逃げ出した、と捏造《ねつぞう》した新聞があった（笑）。

**奈良林**　嘘がばれて社長の首が飛ん

だ朝日新聞ですね。

## 放射線で人類が生まれた

**髙山**　いまだに多くの日本人は、「放射線」と聞いただけで怖いものだと思ってしまう。でも、そもそも地球は放射線に包まれているし、原子力が生命に悪いと決めつけるのはヘンですよね。

**奈良林**　核分裂性のウラン二三五の半減期は七億年です。いま天然ウランに二三五は〇・七％含まれているから、七億年前は一・四％、十四億年前は二・八％だった。

**髙山**　それよりはるか前、つまり自然界が放射線だらけだった当時に地球上に生命が誕生した。

**奈良林**　ウラン鉱脈に雨が降れば臨界条件を満たすから、そのまま原子炉になります。

**髙山**　一九七〇年代にガボンのウラン鉱床を掘ると、ウラン二三五が通常〇・七％の半分しかなかった。おかしいと思って、誰かがウランを燃やしたんじゃないかと調べた。すると、実はウラン鉱床に雨水が流れ込んで天然の原子炉ができて、それが数十万年燃え続けたことが分かりました。

当時の天然ウランは、現代の原発で使用される三％濃縮ウランとほぼ同じ。つまり、むき出しの燃料棒がそこら中に転がっているような環境の中で生命は進化を続け、我々人類が生まれたということ。

**奈良林**　放射線の影響で、突然変異が起こるわけです。放射線なしには、人類の誕生はなかったでしょうね。

**髙山**　水槽で弱った鯛を海に戻してやると元気になる。それと同じで、人間も昔みたいに放射線だらけの環境に置けば、もっと健康になるんじゃないかという見方もありますね。

**奈良林**　放射線ホルミシスの考え方ですね。いまも我々はラドン温泉やラジウム温泉が大好きですが、放射線で疲れを癒すというのは、日本人が受け継いできた知恵なんです。

**髙山**　一万年以上前、縄文時代から日本人は温泉に浸かってきましたからね。僕は福島事故の後、「放射線の何が怖いんだ！」と家族を連れて一番放射線が強いといわれる三朝《みささ》温泉に行ってきた（笑）。

**奈良林**　もちろん大量の放射線は人体に有害ですが、適量を浴びれば細胞は活性化する。がん細胞を殺してくれる遺伝子が、適量の放射線を受けると元気になるんです。

**髙山**　アポトーシス、つまり出来損ないの細胞は自殺するというやつですね。ただ細胞の活力が弱ると、そういう出来損ない細胞が自殺しないで増殖する。それががんになる。細胞活力を上げるために、放射線が最も効果的ということでしょう。

**奈良林**　増殖させた細胞ががんになってしまっては使い物にならないから、iPS細胞の研究は細胞をがん化させないことが重要です。iPS細胞の研究で集められた医学データから、ホルミシスの理論が遺伝子レベルで解明されています。

## 第二の広島と長崎に

**髙山**　日本で放射線＝悪というデマを広めているのが朝日とNHKなら、世界規模で飛び交うデマの元凶は遺伝学者のハーマン・マラーですね。

一九二〇年代末、彼が猩々蠅《しょうじょうばえ》にX線を当てたら面白いように奇形が誕生した。まだDNAが何かもわからない時代で、彼の発見は一躍注目されたんです。ホントなら放射線は怖いものになってしまうけど、猩々蠅以外の昆虫や小動物にX線を当てても何の変化も起きなかったし、奇形も生まれなかった。

　その後、共産主義者だったマラーはソ連に移民するけど、スターリンは遺伝は訓練でどうにも変わるというルイセンコに傾倒して、ダーウィン遺伝学のマラーは危うく粛清されかけた。

**奈良林**　で、マラーは米国に逃げ帰ってしまった。

**髙山**　ただ、戻っても共産主義かぶれの遺伝学者など相手にされない。そう思っていたら、なんとすぐに原爆製造のマンハッタン計画の一員に加えられて、放射線の生物への影響の研究を任されたんです。

**奈良林**　マラーは、ノーベル賞を受賞していますよね。

**髙山**　一九四六年に医学・生理学賞が与えられて、放射線の〝危険性〟が世界に喧伝された。放射線を浴びたら遺伝子がおかしくなり奇形児が生まれる、しかも遺伝子が変化しているからそれは孫子の代にも奇形が続くという脅しででした。

　でも結論から言うと、まともな生き物は放射線で遺伝子がおかしくなっても奇形や遺伝子の変化は起きない。傷ついた遺伝子を修復する能力が備わっているからです。猩々蠅は例外中の例外だった。

**奈良林**　一九四六年というと、広島と長崎への原爆投下の翌年です。

**髙山**　そこに重要な意味があるんです。冷戦前夜、「唯一の原爆保有国の米国に逆らえばお前らの国を広島・長崎にしてやる」『たとえ生き残っても、がんになるか奇形児が生まれるぞ」と脅すことが狙いだった。

**奈良林**　ノーベル賞の権威が政治利用されたわけですね。

**髙山**　ノーベル賞委員会だけじゃない。アメリカは国際放射線防護委までたぶらかして、人間が受けられる「放射能の年間許容量は一ミリシーベルトまで」という規制値を作ってしまったんです。

**奈良林**　当時の菅直人首相や細野豪志原発担当大臣は、この極端に低い一ミリシーベルトという基準で福島の人たちを故郷に帰れなくしてしまった。マラーの罪は重いですね。

**髙山**　でも、いちいち厳格すぎる基準を守っていたら、生産性も上がらないし余計なコストがかかって産業は衰退してしまう。そこを憂えたトランプ政権は、環境保護局（ＥＰＡ）に基準を見直すよう命じている。

ファーウェイの締め出しもそうですが、トランプは常識を非常に大事にしているようにみえます。アメリカがかつて世界を脅す材料にした一ミリシーベルトも、米国の産業や安全保障に害になると思えばさっさと見直す。

**奈良林**　日本政府も、日本の産業を守ってやる必要があります。鉄鋼の新日鉄も、太陽電池のシャープも、「巨大市場の中国に逆らうのか」と脅されて逆らえず、技術を吸い取られた。半導体、自動車、そして原子力……このままでは、あらゆる技術を中国に奪われて、日本企業は競争力を失ってしまうでしょう。

また、日立の英国への原発輸出も凍結されました。建設費と四十年間の運転費も含む総事業費をわざと混同した「建設費は青天井」というフェイク報道が元です。それで政府の融資ができていない。

**髙山**　それはヒドい。かたや中国は、英国に原発を作ることが決まった後、原発メーカーの代表がすかさず東芝と日立に技術協力を要請したらしい（笑）。日本企業が中国に騙されないように、政府は監視しておかないとダメですね。

## 日本を恐れる米国

**髙山**　米国は戦後、日本が白人国家に二度と歯向かわないように、航空機産業を徹底的に潰した。航空機の運行も製造も禁じて、航空力学も学ばせなかった。

エネルギー不足の日本が望んだ原子力発電も同じで、米国は日本の核エネルギー導入を断固拒否し続けた。核技術を手に入れれば日本は米国に必ず核報復をやると信じていたこともあるでしょう。

そんなとき、日本に手を差し伸べたのが英国でした。安い天然ウランを燃料に稼働する英国産の黒鉛減速型の原子炉を日本に売ってくれて、日本は原発を作ることができた。

**奈良林**　東海原発ですね。

**髙山**　それを知った米国は慌てました。なぜなら、黒鉛原子炉こそが核兵器用のプルトニウムを生産できるから。で、それを阻止するために黒鉛炉に代わるGEとウェスティングハウスの軽水炉を与えました。これならまともなプルトニウム型核兵器はできないし、日本の原発を米国の監視下に置いておくこともできる。

**奈良林**　そういう経緯があったんですか。いまも米国原産技術は、東芝や日立が勝手に使えないようになっています。

**髙山**　御巣鷹山《おすたかやま》墜落事故の際、ボーイングは事故原因究明のために技術者を派遣しました。でも原子炉を作ったGEの職員は、福島事故が起きるとすぐさま本国へ逃げ帰ってしまった。

**奈良林**　確かに、GEはすぐに技術者を呼ぶことはなかった。

**髙山**　アルジェリア独立を指導したフランツ・ファノンの本に、「橋をわがものにする思想」という一節があります。白人国家は、植民地に橋を作る。でも橋の作り方や、コンクリートの固め方は植民地の民に教えない。なぜなら、植民地の有色人種が賢くなってしまったら困るから。植民地は愚かなままにしておけばいいという発想ですね。

ところが日本人は、教えなくても自分の頭で物事を考えることができる。だから米国は、日本が怖くてしょうがない。ニューハンプシャーの議員ニック・レバッサーがつい「Two nukes was not enough（二発の核じゃ足りなかった）」と公の場で口走った。米国人の日本人に対する本音はそんなところでしょう。

## 原発を止めるリスク

**髙山**　日本を恐れているから、米国はいまでも日本がプルトニウムを持っている、なんて騒いでいる連中がいますね。

**奈良林**　実は、日本人が米国の反原発派の議員を焚きつけているんです。

**髙山**　いったい誰でしょうか？

**奈良林**　海渡雄一《かいどゆういち》弁護士の事務所に所属する、猿田佐世《さるたさよ》さんという女性弁護士です。

**髙山**　海渡って、福島瑞穂《ふくしまみずほ》のパートナー？

**奈良林**　そうです。米国で弁護士の資格を取った彼女は、「日本が核兵器五千発分のプルトニウムをため込んでいる」と米国で告げ口している。でも、使用済み燃料は質が悪すぎて核兵器には使えないから、これもフェイクなんです。

日本人が米国に日本の悪口を吹聴して、米国に「日本はそんなことをしているのか！　けしからん！」と言わせる。国際的に発言力のある米国議会議員を利用して、日本を貶めようとしているんです。この仕組みは「ワシントン拡声器」と呼ばれます（笑）。

**髙山**　言い得て妙ですね（笑）。慰安婦や靖國でも、反日日本人が韓国や中国に〝ご注進〟して反応を日本に持ち帰る。同じような構図だね。

**奈良林**　その影響もあって、昨年七月に閣議決定された「第五次エネルギー基本計画」に、「プルトニウム保有量の削減に取り組む」という文言が盛り込まれてしまった。

昨年、北海道で大規模停電が起こったとき、「原発を稼働させないリスク」を痛感しました。電気が供給されないと、人々の生活は破壊されてしまいます。

**髙山**　産業・経済も大打撃ですよね。

**奈良林**　ウクライナではチェルノブイリ事故の後も、事故を起こした四号機の隣の三号機を含め、しばらく原発を稼働させていました。ところが五年後、原発を停止することを国会で決めてしまった。

ウクライナの主要産業は製鉄と造船です。中国がウクライナから中古の空母を買いましたが、チェルノブイリ事故当時から空母を作れるだけの技術があったわけです。

**髙山**　あのハリボテ空母ね（笑）。

**奈良林**　ところが、原発を止めてしまったから停電が頻発するようになって、工場がまともに動かせなくなった。結局、ウクライナの産業と経済は壊滅的な打撃を受けて、何万もの人たちが路頭に迷ったり飢え死にしたりした。

**髙山**　日本も、いまだに福島事故のトラウマを克服できずに原発を再稼働させていない。明日は我が身ですね。

（『Ｗ・ｉＬＬ』二〇一九年三月号初出）

「放射能デマ」に騙されるな

# 福島復興の壁 低線量被ばくの現実

東京大学医学部附属病院放射線科准教授
中川恵一

## 子供の甲状腺がんが発見されているが、これは原発のせいではない

私はがんの放射線治療の専門医で、三十年以上にわたり二万人以上のがん患者さんを診てきました。放射線治療の現場には、医師や看護師の他に、理工学分野の専門家や臨床心理士など多職種の人材が揃っていますから、福島原発事故の重大性や、放射線の肉体的・心理的影響についてチームを組んで情報提供を行ってきました。事故から二年間、「チーム中川」の名前で、ツイッターで情報発信を行いましたが、フォロワーは最大二十五万人に達しました。

福島にも、飯舘村を中心に、ほぼ毎月訪問していました。飯舘村は、福島第一原発から三十キロ以上も離れているため、大熊町や双葉町といった原発立地地域が享受してきた経済的恩恵を全く受けてこなかった反面、事故時の風向きの関係で大量の放射性気流（プルーム）によって汚染されました。原発からの距離とともに、風向きや降雨の有無が被ばく量を決めますが、こうした情報がタイムリーかつ正確に提供されなかったため、住民の避難は遅れてしまいました。さらに、チェルノブイリ原

発事故（一九八六年）での経験を持つ医師が安全だと講演をした数日後に、年間の積算放射線量が二十ミリシーベルトを超える恐れがあるとして、一カ月以内の全村避難を政府から指示されました。こうしたボタンの掛け違いが、政府や専門家への不信を招いてしまったといえるでしょう。

## 百二歳に避難は必要か

二〇一一年の四月に「チーム中川」が事故後はじめて福島を訪問した際、飯舘村の菅野典雄村長にお会いしましたが、子供や妊婦はまだしも、役場に隣接する特別養護老人ホーム「いいたてホーム」についても入所者全員が避難を指示されていることに反対を表明されておられました。ホームを訪問してみると、入居者は平均年齢が約八十歳、中には百二歳のおばあちゃんもいました。百名たらずの入居者のうち、車椅子生活の人が六十名、寝たきりの人が三十名です。

避難生活が続く福島の人たち。写真：時事

ホームにはそれまで東京などからの専門家の訪問はなかったそうですが、「この人たちを全員避難させるのか？」と、私どもは驚きました。

たとえば、百二歳のおばあちゃんには、毎日何万個ものがん細胞ができていて、既にがんが大きくなっている途中かもしれません。放射線被ばくによって生まれるがん細胞の数が増えるかもしれませんが、通常、免疫が見過ごしたがん細胞が一センチになるのに二十年かかりますから、百二歳のおばあちゃんに避難のメリットはないと考えられます。私が政府にアドバイスした結果、入居者はそのまま施設にとどまり、職員は村外から通勤して介護にあたることになりました。一方、避難した病院や老人介護施設では入居者の死亡率が大きくアップしてしまいました。高齢者の避難についてはできるだけ慎重に考えるべきなのです。

　幸い、時間とともに住民の被ばく量はわずかだということが分かってきましたが、事故から九年になる現在も三万人近い福島県民が避難を続けています。低線量被ばくで起こりうる人体影響は発がんリスクの上昇ですから、がんにならないために避難を続けてきたわけです。

　私も定期的に全村避難が続く飯舘村に伺っていますが、一般住民の被ばく量は非常に少なく、とりわけ内部被ばくは驚くほど低く抑えられています。日本の食品の放射能管理は世界一厳しいもので、福島産の米や牛肉の放射能は全数調査が実施されており、二〇一四年以来、一キロ当たり百ベクレルという欧米の十二分の一以下の厳しい基準を超えたものはありません。原発事故とは無関係の天然の放射性物質による内部被ばくは年間一ミリシーベルト程度ありますが、事故による追加の内部被ばくはほぼゼロです。

　食品の放射能に関しては、福島産が日本で一番安全とすら言えますが、調査によると首都圏の消費者の三割が福島の食材を購入しないとしており、大変残念な状況が続いています。海外での風評被害も相変わらずで、中国、韓国、台湾の国内基準は日本よりずっと緩いものですが、台湾では福島県産だけでなく、近隣各県の産物の全面禁輸を続けており、理由は分かりませんが、愛媛県の海産物にも輸入制限がかけられています。二〇一六年の五月、台湾電力に招聘《しょうへい》されて講演を行いましたが、この輸入制限は一部の運動家に迎合する政治家に主導されており、台湾当局関係者も頭を抱えていました。

## 百ミリシーベルトの安全哲学

　さて、外部被ばくの方は内部被ばくと違ってゼロとは言えません。飯舘村の工場に村外から通勤する会社員の被ばく量を私たちの研究グループが測定したところ、最大で年三ミリシーベルト以内に留まっていました。福島県全体でも現在九九％以上の方は年一ミリシーベルトに留まっています。

　広島、長崎の被爆者を対象とした綿密な調査でも、百ミリシーベルト以下ではがんが増えるというデータはありません。これは、百ミリシーベルトが野菜不足や受動喫煙の発がんリスクに相当するほど低い影響しか与えない一方、喫煙や大量飲酒は二千ミリシーベルトもの全身被ばくに相当するため、百ミリシーベルト以下の被ばく量では、他の要因のなかに埋没して検出できなくなるからです（図表1参照）。放射線被ばくの人体への影響は、他の要因と比較して、わずかなものと言えるのですが、被ばく量の数値化が容易であり、〝悪名も高い〟ため、誤解されやすい存在なのです。

しかし、国際放射線防護委員会（ICRP）は安全に配慮して、わずかな被ばくでも、線量に比例して発がんが増えるという「直線しきい値なしモデル」を提唱しています（図表2参照）。このモデルは、百ミリシーベルト以上の科学的データのある部分と百ミリシーベルト未満の〝安全哲学〟に属する部分を合体させたものであり、「百ミリシーベルトでがん死亡が〇・五％増えるから、十ミリシーベルトではがん死亡が〇・〇五％増え

**図表1　放射能と生活習慣によってがんになるリスク**

| 要　因 | ガンになるリスク |
|---|---|
| 2000ミリシーベルトを浴びた場合 | 1.6倍 |
| 喫煙 | |
| 毎日3合以上飲酒 | |
| 1000～2000ミリシーベルトを浴びた場合 | 1.4倍 |
| 毎日2合以上飲酒 | |
| やせすぎ | 1.29倍 |
| 肥　満 | 1.22倍 |
| 運動不足 | 1.15～1.19倍 |
| 200～500ミリシーベルトを浴びた場合 | 1.16倍 |
| 塩分の摂りすぎ | 1.11～1.15倍 |
| 100～200ミリシーベルトを浴びた場合 | 1.08倍 |
| 野菜不足 | 1.06倍 |
| 受動喫煙 | 1.02～1.03倍 |

（国立がん研究センター調べ）

**図表2**
**国際放射線防護委員会が提唱する「直線しきい値なしモデル」**

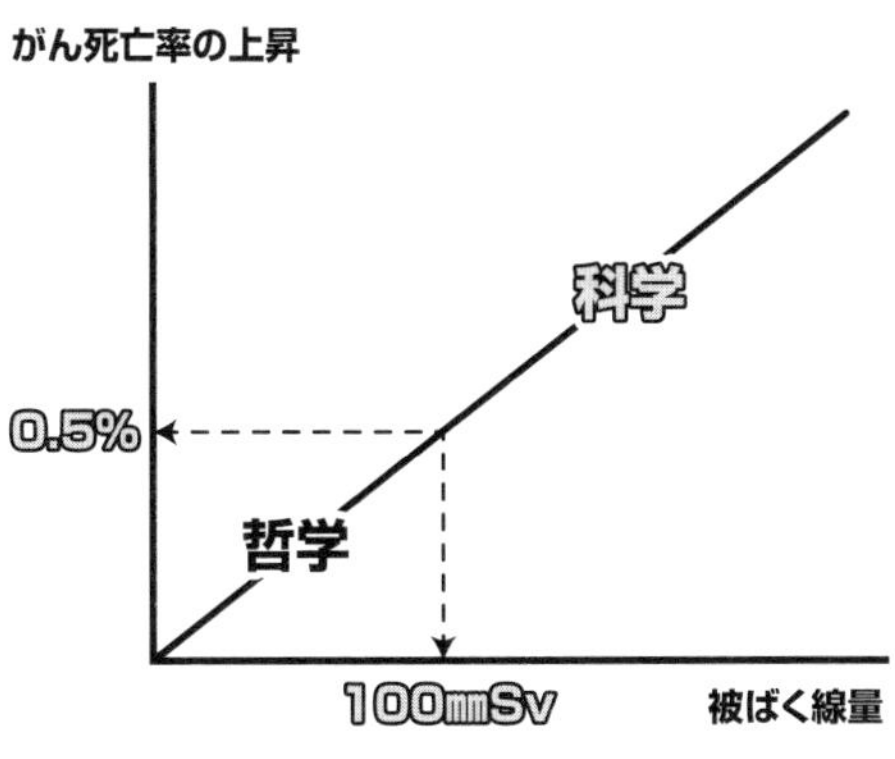

なかがわ　けいいち
1960年、東京都生まれ。東京大学医学部医学科卒業後、スイスのポールシェラー研究所に客員研究員として留学。1993年から東大医学部附属病院放射線科医師として、がんの放射線治療に従事。現在、同病院放射線治療部門長。専門は放射線医学。著書に『がんの練習帳』（新潮新書）、『放射線医が語る―福島で起こっている本当のこと』（ＫＫベストセラーズ）など。

る。一億人が十ミリシーベルト被ばくしたら、五万人、がん死亡者が増える」といった計算に使うことはできない点に留意する必要があります。

直線しきい値なしモデルは、ゼロ被ばく以外、発がんリスクは増えることを意味しますが、このモデルを提唱するＩＣＲＰでさえ、その報告書のなかで、「十ミリシーベルト以下では、大きな被ばく集団でさえ、がん罹患率の増加は見られない」と指摘しています。避難民の被ばく量は最大でも三ミリシーベルト程度ですから、今回の事故でがんが増えることはありえないと言えます。

ＩＣＲＰは、「不要な被ばくはできるだけ少なくするべき」という考え方にもとづき、一般市民が平常時に受ける放射線については、年間一ミリシーベルトを「線量限度」としています。日本でもその勧告を法令に取り入れていますが、年間一ミリシーベルトは、自然被ばくと医療被ばくを除いた「追加分」です。わが国の自然被ばくは、ウラン鉱石などの資源が乏しいこともあり、世界平均より少ない年二・一ミリシーベルトですが、資源が豊富なフィンランドでは八ミリシーベルト、スウェーデンでも七ミリシーベルトになります。もちろん、北欧にがんが多いというデータは存在しません。

また、日本の医療被ばくは少なく見積もっても年三・九ミリシーベルトで世界一です。これは、日本人がいつでもどこでも安い費用で検査を受けられるからです。日本人が医療機関を受診する回数は、米国の三倍で世界一。世界が垂涎《すいぜん》する、わが国の「国民皆保険制度」が医療被ばくを高めていると言えるのです。

自然被ばくが二・一ミリシーベルト、医療被ばくが三・九ミリシーベルトですから、私たち日本人は年間に六ミリシーベルト程度の放射線被ばくをしているのです。「年間一ミリシーベルト以下」は、自然被ばくと医療被ばくを除くものですから〝平均的〟な日本人の場合、六ミリ＋一ミリ＝七ミリシーベルトまで許容することになります。ですから、「一ミリシーベルト」という数字には、人体影響の観点では特段の意味はありませんし、一ミリシーベルトにこだわりすぎると今の福島のように、大量の避難者を出す結果を招いてしまいます。

## 避難生活でがんを増やす

繰り返しますが、避難者の追加被ばく量は最大でも三ミリシーベルト程度ですから、放射線でがんが増えることはありませんが、避難生活によって「震災関連死」と認定された人は福島県で二千人を超え、地震や津波による直接的な死亡を上回っています。死亡には至らなくとも、避難民の生活習慣は悪化の一途をたどり、糖尿病、うつ病などが有意に増えています。

飯舘村の村民約千名を対象とした健康調査でも、糖尿病、高血圧、肝機能障害、脂質代謝異常が、震災後に明らかに増えています。糖尿病患者ではがん罹患リスクが二〇％（肝臓がんや膵臓がんでは二倍）も高くなることが分かっていますから、「がんを避けるための避難が、結果的にがんを増やす」という最悪の結末になると危惧されます。今後、福島でがんが増える可能性が大ですが、それは被ばくによってではなく、過剰な避難によって起こるのです。

子供についてはすでに甲状腺がんが百三十名以上見つかっていますが、事故当時十八歳以下であったすべての福島県民に対して行っている綿密な超音波検査によって「自然発生型」の甲状腺がんが発見されているのです。チェルノブイリ原発事故では、約七千名に甲状腺がんが発生し、十五名が死亡しましたが、五歳以下の子どもの四・八％が五千ミリシーベルト以上という被ばく量だったことに原因があります。

一方、福島では小児甲状腺の被ばく量は最大でも三十五ミリシーベルト程度と見積もられています。百ミリシーベルト以下で甲状腺がんが増えるというデータはないので、小児甲状腺がんの増加は放射線とは関係がありません。実際、福島で発見されている小児甲状腺がんの患者さんは、チェルノブイリとは年齢、性差も全く異なっているばかりか、避難地域の発生頻度は線量が非常に低い会津地方と変わりません。

交通事故で死亡した人の臓器を顕微鏡で詳しく調べた結果、六十歳以上の全員に甲状腺がん細胞が発見されたというデータがあります。しかし、年間百二十七万人以上が亡くなる日本で、甲状腺がんで死亡する人は千七百名程度。また、お金を払って全摘手術を受けたあとに一生ホルモン剤を飲むことになりますので、早期発見はマイナスであるともいえます。

韓国では、近年、乳がん検診と一緒に甲状腺のエコー検査をするようになったことで、甲状腺がんの発見が二十年で十五倍にも増えています。韓国のがんで甲状腺がんがトップとなり、女性のがんの四分の一を占めていますが、甲状腺がんの「早期発見」が進んだとはいえ、がんによる死亡総数は減っていません。もともと、甲状腺がんで命を落とすことはほとんどないので当然です。

高齢者のほぼ全員が持っている甲状腺がんですが、若い世代でも珍しくありません。韓国と同様、福島でも「自然発生型」のがんを見つけ出しているだけと言えますが、こうしたがんは大きくならないことがほとんどで自然消滅も珍しくありませんから、韓国と同様、過剰診断が行われていると言えるでしょう。

福島の住民の被ばく量、とくに内部被ばく量はチェルノブイリとは比べものにならないほど低く抑えられました。にもかかわらず、わずかな被ばくを怖れて避難を続け、残念ながら生活習慣の悪化からがん患者の増加が懸念されるとともに、本来なら不要な検査を続ける結果、すでに小児では甲状腺がんの過剰発見も進んでいます。

福島の原発事故は、放射線とがんを正しく理解することの重要性を改めて教えてくれます。

(『WiLL』二〇一六年九月号初出)

「放射能デマ」に騙されるな

# 日本の原子力技術
# 継承と人材育成を怠るな

奈良林 直
東京工業大学特任教授
高橋明男
日本原子力産業協会理事長

原子力産業は「百年事業」——若い世代にこそ考えてほしい日本の将来

## 現場経験こそが宝物

**高橋**　大学や高等専門学校の学生の皆さんに原子力産業を知っていただき、就職の選択肢にしてもらおうと、毎年「原子力産業セミナー」を東京と大阪で開催しています。参加者は二〇一一年の東日本大震災以前に比べて大幅に減少し、福島事故前のピーク時の五分の一以下にまで落ち込んでいます。

原子力工学系の学生数はそれほど減っていないのですが、原子力産業は原子力工学だけではなく、機械、電気・電子、化学、建築・土木など幅広い人材が欠かせません。そういう分野からの参加者が減っているのが懸念材料です。

原子力産業というのは「百年事業」です。ひとつの発電所をとってみても計画、建設、運転、廃炉を考えれば百年はかかる。ですから、継続的に人材を確保・育成していく必要があります。原子力産業界に入った若い人たちを優秀な技術者に育成しなければなりませんが、奈良林先生をはじめ、大学や高専の先生方に育てていただき、産業界に送っていただくことをお願いしたいと思います。

**奈良林**　私も以前はメーカーにおり、二〇〇五年から北海道大学の教官になりました。メーカー時代は、原子力発電所のトラブルが大なり小なりあるので、それを解決する役割を担っていました。何かが起きると、会社の総力を尽くして対応にあたります。このプロセスで多くの大きな知見が得られました。その研究成果は一〇〇%、実際の原子力発電所に適用されます。こんなに役に立つ研究、効率の良い開発はないと感じています。一緒に働いている百人ぐらいの人間が力を合わせて実験、解析をして、問題を解決していく。そこで人が育っていくのです。実際に稼働、発電している原発はとても大切な教育の場になります。

ただし、こういう仕事をやっていても、しっかりとした若手を確保し続けなければ、いつかは対応できなくなると気づき、それで活動の場を大学・大学院教育に移したわけです。当時は「原子力ルネッサンスの時代」と言われ、国内三大メーカー（日立、東芝、三菱重工）を中心に世界のメーカーと協力して、原発を各国に輸出していくという明確な意志を抱ける、勢いのある状況でした。

**高橋**　懸念のもうひとつは、三・一一の前から浮上していたことですが、いわゆる「団塊世代」がリタイアしていくという問題。これは、彼らのノ

たかはし　あきお
1952年生まれ。1976年、東京工業大学工学部機械工学科卒業、東京電力に入社。原子力管理部技術統括グループマネジャー、福島第二原子力発電所所長、執行役員・柏崎刈羽原子力発電所所長を経て、2010年から同社フェロー。2015年、「原子力技術が有する平和利用の可能性が活用されるように開発利用の促進に努め、将来世代にわたる社会の持続的な発展に貢献すること」を目標とする一般社団法人・日本原子力産業協会の理事長に就任。同協会には、電力会社、電機メーカー、建設会社、研究機関など約四百社・団体が会員として参加しており、海外・国内の動向を収集するとともに、最新の情報を発信し、国際的な交流など多様な意見を踏まえた活動を行っている。

ウハウや技術をいかに継承するかということで、どこの会社にとっても重要な課題であります。高齢化は進んでおり、さらに現在、新規建設プロジェクトがないわけですから、建設に携わったエンジニアも減っています。現場経験を積んだ技能者も減少している。現場のメンテナンスは、作業班長を中心に数人のグループで仕事を担当するのですが、この経験豊富で優秀な班長の存在が重要なのです。

　ところが、福島第一原子力発電所事故以後の新規制基準による審査と安全対策強化工事でほとんどの原子力発電所が長期間停止したまま。止まっているとメンテナンスも少なくなりますから、貴重な班長さんのような人材もどんどん減っていきます。人材育成の場でもある発電所が止まっているということは、人の数もそうですが、質向上にも影響します。長期にわたる原子力発電所停止が技術の継承にもたらす影響は大きいと感じています。

ならばやし　ただし
1952年、東京都生まれ。東京工業大学大学院理工学研究科原子核工学修士課程修了。東芝に入社し原子力の安全性に関する研究に携わる。91年、工学博士。同社原子力技術研究所主査、電力・産業システム技術開発センター主幹を経て、2005年、北海道大学大学院工学研究科助教授に就任。16年から名誉教授。2018年4月より東京工業大学特任教授。2018年1月、国際原子力機関（IAEA）、米国原子力規制委員会（NRC）などの専門家が参加する世界職業人被曝情報機構の北米シンポジウムで『この1年に世界で最も傑出した教授賞』を受賞。フィルターベントの性能検証国際プロジェクトや、廃炉作業用空気浄化システムの開発を推進中。

**奈良林**　三・一一事故発生からは大変でした。震災時はちょうど教授会の最中で、部屋に戻ってテレビをつけたら津波が福島第一を襲っていて、その時点から必死に関係者と連絡を取り合って対策を考えました。有識者としてテレビの出演依頼もあり、マスコミの取材対応にも追われましたが、旧原子力安全・保安院に常駐した同僚の先生からの最新の情報を基に解説したり、保安院にアドバイスできたと思っています。

それ以降、事故の分析や解析、安全対策などの研究、海外も含めた視察、講演や研究成果の発表・提言を続けています。福島事故以降、現在まで、誰がどのように動き、何が起きたのかが一通り頭の中に入っています。

## 前向きだった学生たち

**奈良林**　事故後の四月からは一般教養課程でも、原子力、地球環境、エネルギー全般について講義を行いましたが、医学部、農学部、その他の文系学部なども含めて、学生が二百人以上も集まって、講義室がいっぱいになるほどでした。原子炉工学分野では学生をグループに分けて、事故を未然に防ぐ原子炉を各自の考えで設計させたりもしました。

その事例の一つが、過酷事故時に外部への放出物を漉《こ》しとり、放射性物質排出を桁違いに減少させる「フィルターベント」です。これを装備すれば、急いで避難する必要のないほどまで外部放射線量を下げられます。

さらに、学生たちに働く現場の活力を経験させようと考え、運転している原発を訪問。彼らが納得するまで視察、説明をしてきました。また、全国から優れた学生五人を選抜して、米国の原発視察へも行きました。米国の原発では、職員が誇りを持って働いています。一回の訪米で五カ所の原発を見学したり、米国原子力規制委員会（ＮＲＣ）の地域センター所属の検査官と電力会社の担当者が対等な立場で意見交換する会議にも同席させてもらったりしました。

参加した学生たちはみんな元気をもらい、目つきも顔つきも変わり、ものすごく成長して日本に帰ってきました。帰国後は、こうした経験を後輩たちに話します。企業や組織の中で実務に取り組みながら人材育成を行う「ＯＪＴ」に近いもので、とても役立ったと感じております。

現在の日本では、ＰＷＲ（加圧水型軽水炉）は九基動き始めていますが、ＢＷＲ（沸騰水型軽水炉）の再稼働はゼロ。ＢＷＲも早期に再稼働させて、技術体系をしっかりと継承していくべきでしょう。さらに、新規建設も再開して、ノウハウを次世代に伝えていける時代に入らなければならないと思います。

**高橋**　原産協会には約四百社・団体が会員として参加しています。毎年行っている原子力発電に係る産業動向調査によると、技術力の維持・継承が大きな懸念になっている。その一番の要因は、OJTの機会が減少していること。つまり、原子力発電所が動いていないとOJTがうまく回らないのです。ですから大切なのは、発電所の再稼働進展と建設プラントがあるという状況をつくり出すということです。

**奈良林**　一般教養課程で「地球環境問題と原子力技術・倫理」という科目を担当しました。いろいろな分野の先生にも参加していただいて、オムニバス形式で講義を進めていくのですが、聴講した学生にアンケートをとったところ、「この講義のおかげで、私の大学四年間の目標が決まった」という声や、法学部の学生からは「原子力関連の法律がうまく機能していない」とか、経済学部の学生からは「コスト面から考えた原発の必要性を学べた」、文学部の学生は「マスコミ報道による風評被害の発生を防止する必要がある」といった前向きな感想が多数ありました。原子力教育を原子力工学科の学生だけで行っているのは間違いではないかと思います。

　大学の一般教養課程、あるいは高校教育でも行うべきです。高校教育のカリキュラムに入ってはいるのですが、ちゃんと解説できる先生が少ないために難しいのが実情です。

**高橋**　エネルギーの話はとても重要なテーマなのですが、残念なことに関心が薄いのではないかと感じています。

　我々も大学生、高専生、若い社会人も含めてですが、エネルギーに関して認識を深めてもらいたいと力を入れて取り組んでいます。日本のエネルギーの現状を理解し、将来のあるべき姿について自分のこととして考えてもらう活動を続けています。

## 現実的で着実な対応を

**奈良林**　ドイツもそうですが、現在の日本は「原子力は悪。太陽光発電は正義の味方」というような単純な構図がメディアを中心に形成されてしまい、既設原発の安全対策がどこまで進んでいるのか、その現状がメディアでほとんど取り上げられていない。これは深刻な事態だと思います。

**高橋**　そうですね。ただし、メディアの責任にしても仕方のないこと。難しいテーマで、必ずしも日本だけの課題ではないようです。どこの国でも苦労していると聞いています。地球温暖化の原因とされる二酸化炭素（$CO_2$）をたくさん排出する石炭火力を廃止すべきだという人もいますが、世界的に見ると石炭火力がかなり使われているわけで、これを効率化するのも大事な仕事だと思います。いま、中国が次々に原子力発電所を建設、稼働させていますが、まだ、海外には石炭火力がたくさんあります。ですから、高い効率化技術を持つ日本への期待があるのも事実でしょう。

**奈良林**　火力発電の効率を高めると$CO_2$排出削減に貢献できます。先般、世界最先端の発電効率を発揮している石炭火力発電所を視察しましたが、こうした高効率石炭火力では旧来型に比べて十数%も$CO_2$排出量を減らせるそうです。

その技術を世界中に広めれば、世界トータルでは大幅に$CO_2$排出削減につながりますね。

**高橋**　世界における$CO_2$削減の取り組みについては、再エネや原子力発電のようなゼロエミッション電源の拡大を図りながら、化石燃料の中では比較的$CO_2$の排出量の少ない天然ガスコンバインドサイクル発電や、石炭火力の高効率化も組み合わせて取り組み、やがては$CO_2$排出ゼロの発電方法に移行していくというシナリオが現実的だと思います。

## ドイツの失敗から学べ

**奈良林**　福島事故後、日本中で「ドイツに見習え」という意見が沸き上がりました。いま、ドイツでは水力発電も含めてですが再生可能エネルギーの発電比率が四七%に上がっています。ところが、現在の再エネ技術では調整電源が欠かせません。このため、石炭火力の発電比率は四四%。ドイツの$CO_2$排出量のトレンドを見ると、ほとんど減少していません。

「ウォール・ストリート・ジャーナル（WSJ）」日本語版に、「メルケル政権によるエネルギー政策のメルトダウン」という社説が掲載されました。メルケル首相を支持した国民が得たものは、とてつもなく高い電気代と石炭火力の増加だった、と酷評しています。太陽光や風力発電を大量に建設し、多額のお金を投入して再エネ比率を伸ばした。その結果、電気代はデンマークに次いで欧州で二番目に高くなり、それでも、$CO_2$排出はほとんど減らなかったのが実情です。WSJは最近、さらに「ドイツ経済の失速」という記事も掲載しました。高い電気代の影響で国際競争力を失い、自動車産業やＩｏＴ分野などで米国や中国に遅れをとり、五万人が解雇されたという指摘です。

日本の再エネ政策は、ドイツを手本にして策定した内容。固定価格買取制度（ＦＩＴ）しかりです。原発の再稼働が進まない中で、再エネが大量導入されたものの、ＬＮＧ（液化天然ガス）火力の発電比率が増加、日本では一キロワット時当たり五百四十グラムの$CO_2$を排出しています。

**高橋**　ドイツの一キロワット時当たり$CO_2$排出量は、フランスの八倍に近い。そのドイツよりも日本の方が多いですね。ドイツの場合、欧州全体の送電網と繋がっていて、無炭素電源からの輸入の選択肢もありますが、日本はそれができません。

**奈良林**　昨年九月、スウェーデンにある北欧最古のウプサラ大学に招かれて、講演しました。そして今年の冬、スウェーデンが豪雪に見舞われ、雪の重みで大木が倒れて送電線があちこちで切断、最長一週間に及ぶ大停電が発生しました。この国の暖房用ストーブは、日本のような温風ファンヒーター方式でなく、薪ストーブがほとんどだったため、幸い凍死する人は出なかったそうですが、ウプサラ大から東工大に、小型モジュール原子炉（ＳＭＲ）を共同で開発しようとの打診がきました。ＳＭＲは世界的にも注目度が高まっており、小型で安全性が高く、量産化すればコストも安いので、分散配置して送電網を強化する計画です。

**高橋**　スウェーデンは、一九八〇年に脱原発の国民投票が行われ、賛成多数の結果が出ています。建設された十二基の原発のうち、四基がこれまでに閉鎖されましたが、八基は稼働中です。簡単に脱原発とはいかない。エネルギー問題というのは、それぐらい難しいということですね。

**奈良林**　昨年訪問した際に「なぜ、国民投票で決めたのに原発を止めないのですか」と聞きました。「長くつらい真剣な議論をして脱原発を進めようとしました。それができなかったから、現在でも原発を活用しているのです」との答えでした。今年、大停電が起きて送電網が弱いと認識して、ついにＳＭＲという分散型の原発を導入しようと考えたとのことです。「脱・脱原発」です。

## どうなるドイツの脱原発

**奈良林**　ドイツは二〇二二年に原発ゼロにすると政府が決めていますが、

実は現在、七基の原発が稼働中です。いまのままの状況では二〇二二年までに全てを停止できる状況ではないと考えています。以前、フランクフルトの国際会議に出席した際、「脱原発は再検討した方がいい」とプレゼンしたところ、研究機関などの原子力関係者は「政治が決めたことなので、我々にはどうしようもない」と話していました。私が「ドイツも、自分の国の原子力をしっかり考えなければならないのでは。世界は脱・脱原発になっている」と答えると、会場でどよめきが起きるほどインパクトがありました。

日本の資源エネルギー庁も「再エネの自立化を目指す」としていますが、そのためには少なくとも一週間を持ちこたえる蓄電機能を備える必要があると思っています。そのためには、リチウムイオン電池だと千三百兆円、NAS電池でも四百〜四百五十兆円の費用がかかるという試算があります。コスト削減の技術開発が進み、十分の一に下げられたとしても最低で四十〜四十五兆円のバッテリーが必要になる。

いまは、再エネ事業者に電気を蓄える能力がないので、大手電力会社が揚水発電や火力発電で調整しています。これまでの再エネ政策は、太陽光発電事業者がぼろ儲けをして、電力会社が安定供給に苦労する仕組みです。これでは、持続可能性が確保されるとは考えられません。

## CO₂八〇%削減への道

**高橋** 政府は二〇五〇年までに$CO_2$排出量を八〇%削減するという目標を決定したわけですが、これを実現するためには原子力がどうしても必要と認識する必要があります。

電力も再エネだけで目標を達成できれば良いのですが、国土の大きさ、安定供給やコスト等を考えると原子力発電抜きではシナリオが描けません。八〇%削減は電力だけでは不十分で運輸、産業部門も大幅削減しなければならないことから、発電以外の原子力技術の活用も必要になるかもしれません。

**奈良林** 北大にいたときに、サウジアラビアの王立大学から招請があって、訪問しました。

現地の先生方との意見交換の中で、サウジの国内経済が発展を続けており、石油の国内消費量が増えており、二〇三〇年頃には生産量のほとんどを国内消費に回さざるを得なくなる

奈良林氏が特任教授を務める東京工業大学

見通しだというのです。そうなると日本には石油を輸出できなくなるので、もし日本が石油を欲しいのならば、サウジに原発を建設してください。さらには、商品の石油を燃やしながら航行するタンカーはだめだ。原子力船のタンカーも欲しいと真剣に話していました。

　また、先日、日本の鉄鋼産業関係者と意見交換しましたが、彼らは「原子力製鉄」を検討しています。現在はコークスを大量に使用して鉄を製造していますが、$CO_2$排出量が膨大な製鉄は早晩やり玉にあがる。$CO_2$排出を減らすには、水素を使って「水素還元製鉄」を行うしかない。研究開発段階にある高温ガス炉による水素製造か、すでに商業運転している軽水炉で電気分解をして水素を大量に生産する。一つの製鉄所に数基の原発が要る。再エネ利用は高コストで供給が不安定なので、「原子力製鉄」しかないという判断です。

**高橋**　そうした将来像を描くためにも、原子力の技術を継承していくための人材がさらに重要になるわけです。皆さん、大切だということは理解されているのだと思いますが、「大事だ」と言っているだけでは何も進みません。具体的にどうするか、その対策が求められます。

　我が国には国内七十九機関が参加する原子力人材育成ネットワークがあります。これを中心に戦略的に人材確保・育成活動を行いました。今年四月に組織改革を進めようと、さらに、国の協力が不可欠なため、関係省庁との連携を深める会議体を設立したいと考えています。

（『Ｗ・ｉＬＬ』二〇一九年十月号初出）

# エネコン通信

日本エネルギー会議
Japan Energy Conference

## 中東依存に敏感であれ
## 低いエネルギー自給率の日本

　年明け早々に高まった米国とイランの緊迫から、日本は何を学ぶべきか。今回の衝突のきっかけは、一月三日にイラン革命防衛隊のソレイマニ司令官が殺害された事件だ。イランの隣国、イラクの首都バクダッド近郊の国際空港付近で、司令官らが乗っていた車列に米国軍が発射したロケット弾が命中、ソレイマニ氏は死亡した。イランは一月八日、イラク駐留の米軍基地に弾道ミサイルを発射する報復攻撃に出て、「全面対決」の危機感が世界中を駆け巡った。

　原油価格の急騰、各国に株価の急落をもたらし、日本では石油ショックの再来を危惧する見方が広まった。出方が注目された米国のトランプ大統領は「ミサイル攻撃による死傷者はいない」として軍事的反撃の見送りを表明、世界は安堵した。今年十一月に大統領選挙を控えたトランプ氏の戦術が働くと同時に、米国による経済制裁で国民生活が厳しさを増しているイランも「これ以上の犠牲」を避けたかったのであろう。だが、中東をめぐる様々な危機が終息したわけではない。とりわけ、エネルギーの中東依存度が高い日本は、情勢変化を機敏に把握するとともに、いざという事態に備えてエネルギー自給率を高め、中東依存の分散化を実現する具体的な対応に努めなければならない。

### 高まる原発再稼働の必要性

　中東諸国の動向は、極めて複雑かつ多様なものだ。今回のイランと米国をめぐる対立だけを分析しても安易な先読みは不可能と言っていい。イランのロウハニ大統領は「穏健派」と見られているが、終身最高指導者とされるハメネイ師が大統領を上回る権力を保持している。犠牲となったソレイマニ司令官はハメネイ師の側近で、数々の実績を残してきた「国民的英雄」でもある。葬儀には約百万人とも伝えられる民衆が参加して街を埋め尽くし、ハメネイ師らが棺に頭を垂れて涙ぐみ、「米国への報復」

を叫んだ。

　トランプ大統領は、司令官殺害の理由について「彼らが在イラク米国大使館の爆破を画策していたからだ」と言及した。背後に、日本にいては計り知れない事情が働いていることは間違いない。昨年六月、ホルムズ海峡近くで日本の海運会社が運航するタンカーが何者かの攻撃を受けて炎上する事件が発生した。その際に関与が取りざたされたのは、ソレイマニ氏が所属するイラン革命防衛隊。米国は「イランの責任」を強調、イランは「米国の主張を認めない」と反論した。結局、真相は闇の中だが、日本もいつ何時、対立の渦に巻き込まれてもおかしくない。中東地域は、我が国にとって「火薬庫」であり続けている。

　脆弱《ぜいじゃく》さの根拠となるのは、我が国のエネルギー自給率。一九七三年十月に勃発した第四次中東戦争を発端とした第一次石油ショック。大きな打撃を被った日本は、中東依存度の引き下げ・分散化の主要な手立てとして、原子力発電所の増設に取り組んだ。この成果として、福島事故前の二〇一〇年における我が国の一次エネルギー自給率は二〇・三%まで高まった。ところが、福島事故を経て停止した原発の再稼働が遅れ、二〇一四年には六・四%にまで低下。その後、一部の原発の再稼働や多額の賦課金を国民に求めて普及させた太陽光発電など再生可能エネルギーの寄与で、二〇一七年には九・六%まで回復した。それでも、欧米、アジアなどの主要三十六カ国で組織する経済協力開発機構（ＯＥＣＤ）の中では、ルクセンブルグに次いで下から二番目という低水準である。

ソレイマニ司令官の葬儀に集まった民衆。先行き不透明な中東情勢の象徴でもある（写真提供：ＥＰＡ＝時事）

　中東情勢変化の影響を最も受けやすく、綱渡りのエネルギー供給が続いている。弱点に敏感でない国や組織はいずれ滅びる。最も現実的かつ必要な対策は、安全性を高めた既設原発再稼働の着実な推進。稼働しつつ、さらなる安全向上を目指すことは十分に可能だ。その過程で、再エネの蓄電技術の向上、二酸化炭素（$CO_2$）の貯留・活用、小型モジュール炉（ＳＭＲ）など新型原子炉の商用化に積極的に取り組んでいくしか選択肢はない。

日本エネルギー会議：代表・柘植綾夫、発起人代表・有馬朗人

# 気になる若者たちのエネルギー意識

日景弥生
弘前大学名誉教授

## 果たして「脱原発」と「脱炭素」は両立するのだろうか

### 若者の情報源

エネルギー関連団体の方と色々お話しするなかで「若者は何から情報を入手しているか、エネルギーについてはどのように考えているのかについて知りたいと思います」と言われたことがある。

さっそく調べたところ、日本原子力文化財団（以下、財団）などの調査結果があることがわかった。財団の調査は、全国規模の世論調査で、かつ定点的、経年的に実施されている貴重なデータである。それや他の調査も参考に、これから行う講義に反映させるために、受講者である学部二年生百名（男性四十五名、女性五十五名）に簡単なアンケートを行った。興味ある結果が得られたのでお知らせしたい。

学生達の情報入手手段は、「スマートフォン」が九八％でほぼ全員、次いで「パソコンやタブレット端末など」が七七％となり、それ以外の手段はなかった。持ち運びが可能でかつ扱いが簡単な機器を使用していた。エネルギーや環境問題についての情報入手先（複数回答）の上位三つは、「テレビ」八二%、「SNS（ツイッター、フェイスブックやミクシィなど）」七四%、「友人や家族」二八%となった。「テレビ」と「SNS」からの入手が非常に多かったが、「友人や家族」は第四位の「新聞（二一%）」を上回っていることがわかった。また、「メディア（テレビ、新聞、雑誌など）に触れる時に、エネルギーや環境問題に関する記事や情報の意識」では、「あまり意識していない」が六七%（男性は約六四%、女性は約六九%）と最も多く、次いで「意識している」二一%、「全く意識していない」七%、「とても意識している」五%となり、意識していない者が七四%と高率になった。この結果は、財団の調査結果「男女ともに若年層（十～二十代）の関心が低い」と同様だった。「環境問題や原子力発電、放射能の問題について、最も信頼できる情報源はなにか（複数回答）」では、「国、地方公共団体、その外郭団体」七〇%、「国連などの国際的な機関」六四%、「大学や研究機関の研究者」四〇%となった。思いのほか多かったのが第五位の「メディアなどに出演し発言するジャーナリスト・評論家」二一%となり、上記のように情報入手先の第一位がテレビだったことから、テレビを通してのジャーナリストや評論家の説明や意見等をそのまま取り込んでいることがうかがえた。

## 現代の技術では不十分

次に、エネルギーに関わる八つの項目について四つの選択肢から一つを回答させた。八項目とも肯定的な意見が半数以上だった。なかでも「エネルギーは安定的に供給されるべきだ」「エネルギーは誰もが使える値段で供給されないといけない」は「そう思う」+「どちらかといえばそう思う」がいずれも九九%となり、そのうちの「そう思う」も順に六八%、六三%と高率だった。また、「環境問題の解決には、一人ひとりの行動が大切」も高率で、「そう思う」+「どちらかといえばそう思う」は九四%、そのうちの「そう思う」も六二%となった。

性別による違いがみられたのは、ただひとつ「日本は原子力発電を続けた方がよい」であった。上記のように肯定的な意見が半数以上（この項目の肯定的意見は六五%）だったが、性別でみると男性は約七三%、女性は約五八%となり、女性の方が低かった。そこで、原子力発電の継続に肯定的なグループと否定的なグループに分類し、他の項目をみたところ、原子力発電の継続に否定的なグループは「他国からの輸入に依存しない方がよい」が高い傾向を示した。これは、日本のエネルギー自給率等についての知識がないことが背景にあると思われる。そのため、「原子力発電を継続しない」で、かつ「他国からの輸入もしない」回答は、〝願望〟は理解するが、現時点では実現は困難であり、両者は矛盾することを学生達は理解していない。ご存じのように、二〇一二年度から中学三年生を対象に「放射線の性質と利用」の学習内容が新たに組み込まれた。その学習指導要領で学んだ学生達ではあるが、残念なことにエネルギーの知識は必ずしも定着していないように思われた。

また、「現代の技術は、環境問題をうまく解決してくれる」は、八項目中最も肯定的な意見が少なかった項目（全体で五四％）だった。学生達は、環境問題解決には一人ひとりの行動が大切であり、現代の技術では不十分と思っているようだ。ここでも同様に、環境問題の解決には、個人レベルの努力はとても、そしていつも大切だが、省エネ・省資源等の技術なしには、現時点では困難であることを学生達は理解していない。

## 考える市民の育成

これらの結果から、学生達はある程度の知識をもっているが必ずしも十分ではなく、またそれらの知識は断片的で、関連性や発展性がみられないことがうかがえた。

二〇二一年度から実施される新学習指導要領でも、中学生に対する放射線教育は継続される。指導者は知識の伝達に留まらず、知識を他の事象等と関連させて基礎的な知識を応用・深化させる手立てが必要である。基礎的教育の継続と論理的・批判的に思考する場面を設定し、エネルギーに関心をもたせる学習が、資源に乏しい日本における将来のエネルギーについて考える市民を育成するであろう。これらの結果を踏まえ、これから行う講義を充実させたい。

ひかげ　やよい
国立大学法人弘前大学名誉教授　学校法人柴田学園理事　日景弥生教育研究所きらり代表。埼玉県生まれ。一九八一年、弘前大学に赴任。二〇〇一年より教育学部教授。男女共同参画推進室長、学長特別補佐、教育研究評議会委員も兼務。生活者育成を中核とする家庭科教育学、特に次世代の生活者育成とその支援者育成の研究に携わる。二〇一九年より現職。

# ネット時代における「信頼」

ネットワーク社会における信頼獲得の仕組みを戦略的に考える必要がある

東北大学大学院工学研究科教授
高橋 信

## 信頼とコミュニケーション

現代における社会問題において、「信頼：ｔｒｕｓｔ」が重要な役割を持つことに異論を唱える人はいないと思う。企業においても信頼を得ることが重要であることは常識であり、逆に信頼を失うことが致命的なダメージにつながることも広く認識されている。近年散見される大企業における不祥事は、信頼を失うことの影響の大きさを示す良い例となっている。組織としての信頼と共に、個人としての信頼も重要である。

私は原子力立地地域における対話の経験があるが、そこで学んだことはコミュニケーションにおける信頼の重要性である。信頼のないところにはコミュニケーションは成立しない。行政が行う市民への説明会というものが各地で行われているが、そこでは情報を提供する側の信頼性が問われている。行政側としても努力はしているが、残念ながら十分な信頼が醸成されて実のあるコミュニケーションが成立している例は少ないように思われる。

このようにエネルギー問題を含む多くの社会問題におけるコミュニケーションの成立に重要な意味を持つ「信頼」であるが、その信頼そのものの在り方が、ネットワークが社会の情報伝達の基盤となった現在、大きく変革していることを共有型経済の概念を提唱したレイチェル・ボッツマンが著書「TRUST」の中で述べている。この本の帯にはこうある。「なぜ政府や企業、マスコミを信頼しないのに見知らぬ人間の口コミは信用するのか?」

従来、信頼を醸成するための情報はマスメディアによって提供され、それに基づいて判断が下される場合が多かった。しかしながら、マスメディアに対する信頼が相対的に低下し、インターネットによる直接の情報のチャンネルが広まった現在、信頼が醸成されるメカニズムは大きく変化している。

## 相互評価と情報開示

この典型例として紹介されているがウーバーである。ウーバーは単なるタクシーの配車システムではなく、個人が空き時間を利用して他人を運ぶという、これまでにない仕組みを導入している。ユーザーは配車アプリで近くにいる利用可能な車を探し、見つかった車に乗ることになるが、ドライバーは全くの他人である。タクシーであれば、タクシー会社という組織がドライバーの背景的保証となりそれを信頼して利用するになるが、見知らぬ個人の車に乗り込むことに躊躇しないのかという疑問は生まれるが、このシステムは大成功を収め、既にアメリカではウーバーは市民権を得ている。

ウーバーの成功のベースにあるのは、多数の利用者による相互評価とその情報の開示である。ユーザーは予約時にそのドライバーの評価を確認することができるし、ドライバーは予約を入れてきたユーザーのこれまでの利用履歴と評価を確認することができる。これによりサービスを提供するドライバーと利用するユーザの間には「信頼」関係が生まれるのである。この仕組みはeコマースにおける出品者の評価と同様の仕組みであり、eコマースの多くのプラットフォームでは、商品を購入するときには購入先の「信頼性」を知ることができる。

この本にはeコマースの信頼性獲

得に関して、非合法的な品物を取引するいわゆる「ブラックマーケット」に関する興味深い例が述べられている。裏世界におけるネット上での取引に関しても相互評価システムが有効に機能していて、「悪人」であるはずの出品者は品質、納期に関して気を配り、取引が有効に機能しているのだそうである。非合法的な取引をしている信頼できないはずの人の間にも、別の意味での「信頼」が構築されているということである。

　もちろん、相互評価システムにも問題はある。最も深刻なのは、相互評価情報そのものの信頼性である。全ての信頼はこの評価情報に基づいており、この情報の信頼性が失われたら全ての信頼が崩壊する。さらには、このような評価システムがその人そのものの評価として格付けに利用される危険性が中国を例に取り述べられており、プライバシーのないディストピア社会の危険性も指摘されている。

## 「紋切り型」を見直す

　ここまでネットワーク社会における新しい信頼構築の仕組みについて述べてきたが、今の日本におけるエネルギー政策の決定過程において、このような信頼関係が決定的に欠如しているように見える。一般市民は誰を信じていいのかわからない。政府は信用できない。電力会社も信用できない。特定の団体、組織も信用できない。こんな状況の中で、耳に心地良くわかりやすい（誤った）主張が、本来なら「信頼」されない人、組織から発信され、信じられてしまうという状況が発生している。相互評価のシステムが単純な解決策となるとは限らないが、現状を打破し「信頼」を獲得するために一つの方向性となり得るのではないかと思う。

　理想的なのは、「顔の見える」「信頼できる」専門家が、信頼を獲得してコミュニケーションを行うことである。しかし、個人の属人的な資質に頼ることには限界がある。ＨＰによる情報提供といった紋切り型の方策を見直して、ネットワーク社会における信頼獲得の仕組みを戦略的に考える必要があるのではないだろうか。

たかはし　まこと
一九六四年、山形県生まれ、東北大学大学院卒。京都大学原子エネルギー研究所（現エネルギー理工学研究所）助手、東北大学大学院工学研究科准教授を経て、二〇一一年より現職。人間の認知的特性や脳科学的知見をベースにした原子力システムに代表される大規模システムの安全性向上の研究に携わる。二〇一七年より原子力規制委員会原子炉安全専門審査会審査委員、日本原子力学会東北支部長、二〇一九年、電気学会原子力施設への無線通信技術導入に向けた技術動向調査専門委員会委員長を務める。

# 原子力の光と影

## ――リスク問題を考える

国立大学法人筑波大学名誉教授
内山洋司

リスクコミュニケーションによって
安全対策への理解を深めていく努力が求められる

### 広範囲かつ長期的なリスク

原子力特有のリスクとして、「重大事故」「放射線影響」「最終処分」「核セキュリティ」が挙げられる。それらは、事象の社会的な影響の大きさが甚大であるだけでなく、広範囲かつ長期的なリスクであり、化石燃料や再生可能エネルギーのリスクとは大きく異なるものである。

福島第一発電所の原子力事故が発生したことで原子力リスク、とりわけ重大事故と放射線影響への社会不安が拡大した。事故から九年が経った現在もなお、放射線に汚染された地域は完全に復旧されておらず、また事故炉の廃止措置の目処も立たない状態にあって、人々の原子力への不安は解消されていない。

原子力発電は、わが国において、電力の安定かつ安価な供給だけでなく、エネルギー安全保障の確立と地球温暖化対策においても重要な役割が果たせるエネルギー源とみなされている。しかし、そういった利点が生かされるには、国民や立地住民の方々の理解が不可欠となる。現在、停止中の原子力発電所の再稼働はもちろん、原子力施設の建設と運用においても、人々が安心できるレベルにまで原子力が持つリスクを低減する安全対策が必要となる。同時に、原子力事業者には国民や住民とのリスクコミュニケーションによって安全対策への理解を深めていく努力が求められる。

## 原子力問題の利害関係者

原子力は、他のエネルギー源に比べて利害関係者が多様であることに特徴がある。利害関係者は、基本的には、原子力を容認・推進する立場と原子力を批判・否定する立場に分かれるが、国民の多くは利害関係者に属さずどちらの立場にもない。利害関係者の数やどの立場になるかは、原子力施設の事故や放射性物質漏洩の有無、原子力の産業規模、あるいは社会のエネルギー情勢等によって変わる。

### （1）原子力を容認・推進する立場

わが国、あるいは世界のエネルギー供給に原子力が必要であると思っている人々である。主に、原子力施設や関連企業・機関に勤めていたり、あるいは何らかの関係者で、それによって生活が支えられていたり利益を得ている人々が該当する。利益を何ら受けていない一般人の中にも、同じ考えを持った人がいる。

ア　原子力発電所を建設、運転、保守、管理している電気事業者とメーカーなどの関連企業

イ　原子力開発の業務や研究を行っている行政、研究組織、大学の関係者

ウ　原子力施設があることで生活が支えられている立地地域の人々

エ　原子力を推進し、容認することで何らかの利益が得られる人々（政治家も入る）

オ　利益を得てはいないが、世界と日本のエネルギー源として原子力が必要と判断している人々

### （2）原子力を批判・反対する立場

原子力は社会の持続可能な発展につながらないと思っていて、原子力施設の事故や放射線影響に不安を抱いている人々である。反対理由として、具体的には「重大事故への懸念」「放射性廃棄物と廃炉の問題に根本的な解決策がない」「核拡散への懸念」

「未来世代の生存可能性を脅かす世代間正義の問題」「巨額の資本コストが必要になる」「業界が政府をセーフティネットに利用するモラル・ハザード」などが挙げられる。

ア　反原発を唱えている政党メンバー

イ　反原発を唱えている思想家・NPO

ウ　広島・長崎の被爆者ならびに関係者で批判的な人々

エ　原子力に批判的な教育者、学者、あるいは芸術家（科学者、法学者、文学者、哲学者など幅広い分野に見られる）

オ　立地地域などで経済的な見返りを求めて批判する人や団体

カ　地元テレビ・新聞に多く見られる扇動的なマスコミ

キ　原子力や放射線の危険性を訴える一般人

ク　福島事故以降に加わった新批判派

上記の批判・反対派には、原子力を絶対に容認しない過激な立場の人から、できれば原子力に依存したくないという温厚な立場の人まで幅広くいる。また、立場が重複している人も多く、相互に連携し合って状況に応じた批判活動を行っている。

## リスクとは何か

リスクとは、もともと経営や保険の分野から登場した概念である。金融機関や保険会社では早くから投資や株、それに保険料の算定などにおいてしばしばリスクという言葉が使われてきた。その後、リスクを使う範囲は、経済、食品、医療、技術、環境、情報などの分野へと広がっており、今ではリスクという言葉は人々に日常的に使われるようになっている。

現代のグローバル化した高度技術社会では、リスクの種類は多種多様で、現代社会が直面しているリスク事象を挙げると表1のような事例がある。表1の中で、それぞれのリスクの大きさは、状況によって大きく異なるために比較は難しいが、最も影響力が大きいのは戦争と貧困だと考えられる。

表1の事象は社会全体から見た被害規模と範囲の大きさによって二つに分類されているが、規模や範囲は実際には状況によって異なるために明確に分けることはできない。表1に示されたリスク事象には、損失・被害・災害の可能性、期待された結

## ●原子力のリスクと信頼

表1 現代社会が直面している様々なリスク事象

| | 事象 | |
|---|---|---|
| | 被害規模・範囲が小さい | 被害規模・範囲が大きい |
| 事故 | 交通機関（自動車、鉄道、船舶）、工場災害、橋梁、火災、爆発、通信途絶、反グライダー、放射性物質の漏洩 | 大型タンカー事故、原子炉重大事故、大規模化学プラント事故、大型ダムの決壊 |
| テロ・戦争 | 小規模軍事衝突、小規模内覧 | 核兵器、生物兵器、化学兵器、テロ行為 |
| 自然災害 | 豪雨、冷害、暴風、異常乾燥 | 大洪水、台風、大干ばつ、地震、津波、大規模火山噴火、巨大隕石落下 |
| 感染症 | 結核、マラリア、梅毒、淋病 | パンデミック（BSE、鳥インフルエンザ、新型インフルエンザ）、HIV |
| 生物 | 生物資源の乱獲、干潟の喪失、電磁界影響 | 多様性喪失、機能喪失、遺伝子組換植物の意図的拡散、熱帯林破壊 |
| 化学物質 | 食品添加物、アスベスト、浮遊粒子状物質、NOX、光化学スモッグ | 環境ホルモン、海洋汚染、酸性雨 |
| 気象・気候 | 猛暑、極寒、気象予報 | 地球温暖化、エルニーニョ、オゾン層破壊、砂漠化 |
| 経済 | 株取引、燃料価格の高騰、敵対的買収 | 経済恐慌、貧困 |
| 生活 | 食品中毒、離婚、育児、入試、就職、医療ミス、賭博、宝くじ、テクノストレス | |
| 社会 | 風評被害、過失責任、性風俗、犯罪 | 大停電 |
| 情報 | 情報ウイルス、迷惑メール、キャッシュカード詐欺、マスコミ誤情報 | 大規模サイバーリスク |

果と現実の差異、期待したものと異なった結果が生じる可能性など不確実であいまいな面がある。

リスクの性質には、「その事象が顕在化すると、望ましくない影響が発生する」と「その事象がいつ顕在化するかが明らかでないという発生の不確実性がある」がある。望ましくない影響は、受け手の持つ価値や選好が様相によって左右される内容のもので、しかも、主体は常に同じ価値や選好の意識を持っているのではなく、個人的、社会的状況によってリスクの大きさは変化する。すなわち、物理的に観測・推定される客観的リスク評価と主観的リスク評価とは一致しないことが少なくない。不確実性は、あいまいさとは異なり、確率的なもの、偶発的なもの、未解明のもの、予見不能なもの、交渉条件的なものを指している。

リスクを一義的に定義することは難しいが、それらに共通するのは負の要因である「損失」が含まれることだろう。リスクとは、現時点より先に起こりうる可能性がある事象の「損失」の大きさを定量的に表すことと考えられる。被害規模を損失の大きさと捉える考えは、人間活動で対応できる範囲に絞られていることである。これからリスクを判断する基準は、被害に対して対応可能な範囲、すなわち我慢できる範囲をいい、危機や破局のように対応不可能な被害や、それとは逆に広く受け入れられている程度の被害はリスクと見做されない。

（ISO/IEC Guide732）によると、リスクは「事象（event）」「発生確率（probability）」「結果（consequence）」という概念の組み合わせと定義されている。これを定式化すると、次の式のようにリスクは発生確率と被害規模の関数になる。

**リスク＝f（発生確率×被害規模）**

リスクを発生確率と被害規模の積になると仮定すると、リスクの大きさは図1に示す長方形の面積となる。リスクの低減とは、長方形の面積を小さくすることであり、それには事象の発生確率と被害の大きさである被害規模をできるだけ小さくしなければならない。

被害には人々の健康影響だけでなく、被害を受けた人の経済損失も含まれる。被害の対象が生態系であれば、生態系が破壊されたことによる損失、あるいはそれをコストに換算した経済損失となる。

例えば、原子力事故で避難を余儀なくされた人には、健康被害への補

# ●原子力のリスクと信頼

償だけでなく、避難している間の生活や企業活動の停止によって発生した経済的な補償も必要になる。被害規模は、事象の影響範囲で被害を受けた人々の経済損失を含めた被害の総和となる。もし、被害の大きさが一人あたりの平均値で示されていれば、その値と人数の積になる（生態系であれば個体あたり被害度と個体数の積）。人や生態系への被害は、空間や時間によって変化する。放射線被ばくのように影響が長時間にわたって続く事象の場合、被害規模は大きくなる。

図1　リスクの低減

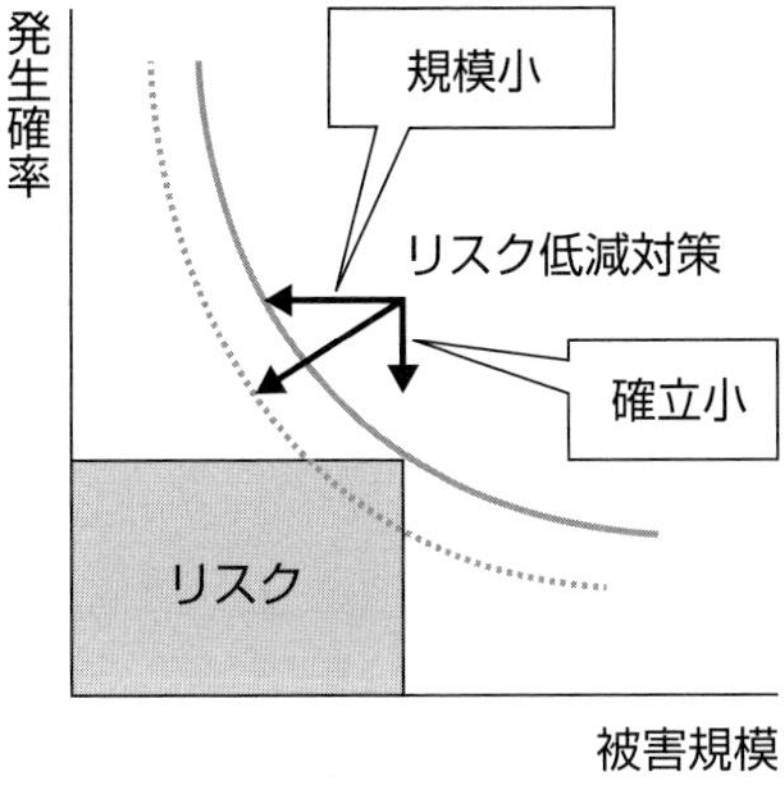


　被害規模は、一般に損失余命（ＬＬＥ：loss of life expectancy）や損害額など客観的な指標によって定量化が可能である。しかし、リスクの認知になると、それは人の意思によるもので、科学的な方法で客観的に指標化することは難しい。人が感じる被害の大きさは事象の種類によってしばしば異なる。リスクは次に示す要因によってその認知の大きさが変わる。

①自発的か強制的か（ロッククライミングは自発的なリスクであり、登山者はリスクが大きくても登る。シートベルトの義務化によって自動車の事故リスクは高く感じる）

②親近感（自動車は身近で親近感がある乗り物であるため、リスクが大きくても乗る。しかし、たまにしか乗らない航空機には親近感がないため、大きなリスクがあると思う）

③時間軸（現在、発生している事象である大気汚染、ＢＳＥ、鳥インフルエンザなどのリスクは大きく感じるが、喫煙、飲酒、エイズ、さらには地球温暖化など将来の事象になるとリスクへの認知は小さくなる）

④表現方法（恐怖を煽る専門家によって、リスクの情報が歪曲される）

　人によってそのリスクを認知する度合いが異なる。

　事象について経験が豊富な人ほど、またリスク情報を正確に理解している人ほど、当該事象のリスクは小さく感じる。かといって、すべての人々があらゆる事象について正しいリスク情報を理解しえいることはあり得ない。そのため、風評被害のように、報道の仕方によってはリスクの大きさが過大に伝わることで、被害の規模が拡大することもある。風評被害を避けるためには、報道関係者は過大報道にならないように、正しいリスク情報を人々に伝達しなければならない。

このようにリスクは、発生側の事象の発生確率や直接的な被害規模だけでなく、受け手側のリスクの認知によっても、その大きさが変わる。後者の認知されるリスクの大きさは、事象の種類、報道内容、人の属性（性別、年齢、所得、病歴、思想など）に依存しており、その内容を客観的な立場から数量化し指標化することが難しい。

リスクの低減には、発生確率と被害規模を小さくするだけでなく、人々のリスクに対する認知を低減する努力が求められる。リスクの情報を公にしなければリスクへの認知は下がることになるが、リスク情報の隠蔽だけは避けるべきである。情報の隠蔽は、リスクを軽減する解決にはならない。情報が公になったとき、隠蔽した組織への不信感は増大し、社会的にも大きな事件へと発展することになる。

むしろ、情報を積極的に開示することで、人々のリスクに対する理解を高めていく必要がある。リスク情報を関係者である市民、行政、専門家、企業に広く公開することで、関係者間の意思疎通と合意形成が求められる。公の立場から客観的にリスクが評価されれば、発生確率や被害規模を低減する方策が検討されることになる。受け手側のリスクの認知が発生側のリスクを低減するフィードバックシステムを社会に形成すべきである。

## リスクコミュニケーションの課題

原子力を容認・推進するか、それとも批判・反対するかは、原子力に内在するリスクに対する判断の違いから、立場が分かれているといえる。

推進する立場にある事業者は、過去のリスク事象を踏まえた安全対策に取り組みリスクは小さいと判断している。しかし、他の科学技術と同様に、事故や環境影響が絶対に発生しないと断言することは不可能である。反対派、とりわけ過激な立場の人は、リスクを絶対に近いレベルにまで低減することを要求する。中には、原子力発電を全廃するために無理を承知で要求している人もいる。福島第一の発電所事故によって原子力事業者や技術者への信頼が低下しており、また批判する人の数が多くなっている中で、反対する立場の人の勢いが増している。

しかし、リスクを冷静に判断する人々は多い。リスクコミュニケーションとは、様々な意見を聞くことで問題点やリスクを客観的に判断し、物事を前向きに進めていこうと考える人とのコミュニケーションである。市民参加型のコミュニケーションとして、シンポジウム、公開討論会、円卓会議、研修会、勉強会など、様々な方法や場が取られているが、より多くの人々が集まるシンポジウムや公開討論会では、一部の過激な立場にある人々が最前列に陣取り、彼らの主張のアピールに利用されることがしばしばある。

様々な意見を持つ多くの人々を納得させるスクコミュニケーションを創出することは難しいことである。できるだけ多くの人々とのコンセンサス作りが必要になる。ここで言うコンセンサスとは、推進派の意見を一方的に押し付けるのではなく、立場が異なる人々の意見の違いがどこにあるのかを客観的に明らかにし、その違いを相互に理解し合うことである。

その方法として、民主的なリスクコミュニケーションが考えられる。

例えば、原発立地地域で「原子力の安全性」というテーマを決めて討論することを考えよう。立地地域を市町村レベルで区分し地域討論会を開催する。討論会の参加者は、それぞれの地域で異なる意見を持つ複数の代表者で、モデレータを介して議論と会う。もちろん、会場からも意見を聞き、モデレータは極端に違う立場にある代表者の意見の相違を明確にする。また、両者の意見に対して会場の参加者がどれだけ賛同しているかを集計する。さらに、討議に参加した地域代表者から二名を選出し、全体討論会への参加を要請する。全体討論会は、各地域から選ばれた人同士の討論会となる。それは大きな会場で実施することになる。全体討論会では冒頭、コーディネータが各地域の討論会の結果を報告し、論点を明確にした上でその後に代表者同士の討論を実施する。混乱を避けるために、会場からは意見を受けないことが望ましい。最終的には、コーディネータはその地域における「原子力の安全性」についての意見の相違と解決すべき課題をまとめることになる。テーマとしては、それ以外に「電力の安定供給」「地球温暖化対策」「原子力と地域振興」など地域の人が求めている課題が望まれる。

## 明るい見通しを

福島第一発電所の原子力事故から九年が経とうとしている。放射性物質の周辺地域への汚染は大分改善されてきたとはいえ、まだ避難を余儀なくされている住民がいる。また、避難生活が長期化し、すでに避難先の地域で生計を立てている人たちの数も少なくない。さらに風評被害によって被害を受けている人々もいる。被害にあった人々に対して金銭面で様々な補償がされていても、心の傷は残る。

事故を起こした原子炉の処理は、以前から見て進んではいるが、残されている課題も多い。汚染水の処理、デブリの撤去と処理、廃止措置など、いつになったら安心できる状態になるのかまだ目処が立っていない。今回の原子力事故は、事故炉の処理処分だけでなく、原子炉から放射性物質が周辺環境に広範囲に放出されたときの社会影響の甚大さを多くの人々に実感させた。

世論へのアンケート結果を見ても、七割以上の人たちが原子力へ批判的になっている。批判的な立場にあるのは一般の人々だけでなく、政治家、学者、教育者、文学者、芸術家など幅広い分野に及んでいる。原子力の必要性を擁護する人の数は少なく、また批判はしないが原子力問題には距離をおいている人も多い。

原子力の将来に明るい見通しが見られないのが現状だ。今年は、住民や国民から理解され信頼される原子力利用のあり方を再考する年になってほしい。

参考文献
1）内山洋司、羽田野祐子、岡島敬一、「エネルギーシステムの社会リスク」共著、コロナ社、(2012年5月発刊)
2）http://www.iso.org/iso/en/ISOonline.frontpage/

うちやま　ようじ
一九四九年、神奈川県生まれ。東京工業大学理工学研究科博士課程を修了後、(財)電力中央研究所に入所。技術評価グループリーダー、上席研究員を経て、二〇〇〇年〜一五年まで筑波大学機能工学系教授。この間、米国電力研究所(EPRI)客員研究員、東京工業大学総合理工学研究科と放送大学にて客員教授を兼務。現在は一般社団法人日本エレクトロヒートセンター会長、公益社団法人茨城原子力協議会会長。専門は、エネルギー・環境に関する技術評価、ライフサイクル評価、リスク評価。

# 原発再稼働に自衛隊を活用せよ

奈良林 直
東京工業大学特任教授
火箱芳文
元陸上幕僚長

テロリストが原発を標的に!?
そんな事態を想定して、我々が備えるべきは……

## 世界一厳しい基準

**奈良林**　原子力政策の基本方針を定めた原子力基本法第二条第二項には、「国民の生命、健康及び財産の保護、環境の保全並びに我が国の安全保障に資することを目的として」と定められています。

福島事故以降、海外から化石燃料を輸入するため、数十兆円もの国富が流出している。電力会社の社員の給料を下げて済む話ではなく、電気料金を払う国民に過剰な安全対策のしわ寄せが及んでいるわけです。原子力規制委員会は「国民の生命」だけでなく、「国民の財産」も考慮しなければならない。

普段は「弱者の味方」を自称し、「安倍政権下で格差が拡大している」などと叫ぶ共産党や立憲民主党が、なぜ原子力規制の現状に声を上げないのか。不思議でなりません。

**火箱**　現時点で、太陽光や風力といった天候等に左右される再生可能エネルギーは原子力の代替になり得ない。原子力発電は資源の乏しい日本にとって、エネルギー安全保障の観点からも、$CO_2$排出削減のためにも必要不可欠な電源です。

「世界一厳しい」とされる規制基準で再稼働が審査されていますが、電力会社の事情や国民生活が十分に考慮されていないように思います。エネルギー基本計画には、二〇三〇年に原子力が二〇〜二二%を賄《まかな》うと決められている。規制委は国家の機関であり、国益のため、その方針に沿って円滑に審査を進めるべきでしょう。

**奈良林**　福島事故から九年経ちましたが、再稼働は一向に進んでいないどころか、事故当時に五十基あった原発のうち、二十基が廃炉になっています。

**火箱**　再稼働した原発は、わずか九基にすぎません。一日でも早く審査を終えて、再稼働を推進すべきです。

**奈良林**　米国の原子力規制委員会（NRC）は、審査に合格した原発にライセンス（運転許可証）を発行します。もちろん、重大な事故が起きたり不正が発覚したら、ライセンスは取り消される。ですが、軽微なトラブルであれば、発生しても、基本的には電力会社に自主規制を促すだけ。市民生活への影響をわかっているからこそ、むやみに原発を止めてはいけないと考えているわけです。

**火箱**　米国では、原子力をむやみに止めず稼働したまま対策をとっています。〝世界の常識〟が、日本では適用されていません。羹《あつもの》に懲りて膾《なます》を吹く――そう思えてなりません。

**ひばこ　よしふみ**
1951年、福岡県生まれ。1974年、防衛大学校卒業。陸上自衛隊に入隊し、普通科幹部として、第一空挺団中隊長、第三普通科連隊長等の指揮官、陸上幕僚監部・方面総監部等の幕僚、学校教官等を務める。空挺基本降下課程、富士幹部レンジャー課程、陸上自衛隊幹部学校指揮幕僚課程、統合幕僚学校一般課程を卒業。1999年、陸将補に昇任。第一空挺団長、北部方面総監部幕僚長を務める。2005年、陸将に昇任。第十師団長、防衛大学校幹事、中部方面総監を経て、2009年、第32代陸上幕僚長に就任。著書に、『即動必遂 東日本大震災　陸上幕僚長の全記録』（マネジメント社）などがある。

**奈良林**　福島事故を受け、欧州では運転を継続させながら安全対策がなされてきました。原発を全て止めてしまう国など、日本以外にないです。

## 有効な対策を

**火箱**　規制委の審査が終わっても、地元の同意がなければ再稼働できません。避難計画についても、自治体の同意がネックになっている。

例えば、東海第二原発で事故が起こったら、最大百万人に近い住民を避難させなければならない。手段をもたない自治体や電力会社に責任だけ押し付けるのは、酷な話です。最近では、住民避難が不要な対策も検討されていると聞いています。

**奈良林**　フィルターベント（注1）を設置すれば、放射線量は千分の一以下にとどめることができる。その場合、五～三十キロ圏の住民は屋内退避で済みます。しかし、避難訓練をすることで「原発の恐ろしさ」だけが刷り込まれてしまうような気がしてなりません。

**火箱**　福島事故では、県の要請を受け病院や介護施設から移動困難者や患者さんの避難支援を行いましたが、搬送先の医療施設が不十分なため、結果的に多くのご高齢の方が亡くなられたと聞いています。原子炉にそのような装置を設置すれば、たとえ事故が発生しても避難の必要はなくなるわけですね。

**奈良林**　フィルターベントは、九九

ならばやし　ただし
1952年、東京都生まれ。東京工業大学大学院理工学研究科原子核工学修士課程修了。東芝に入社し原子力の安全性に関する研究に携わる。91年、工学博士。同社原子力技術研究所主査、電力・産業システム技術開発センター主幹を経て、2005年、北海道大学大学院工学研究科助教授に就任。16年から名誉教授。2018年4月より東京工業大学特任教授。2018年1月、国際原子力機関（IAEA）、米国原子力規制委員会（NRC）などの専門家が参加する世界職業人被曝情報機構の北米シンポジウムで『この1年に世界で最も傑出した教授賞』を受賞。

%以上の確率で正常に作動します。一%以下の確率を想定して大規模な避難訓練をするより、もっと有効な対策があるはずです。

フィルターベントが機能して屋内退避になったとき、各家庭に水や食料を配給する訓練を実施する必要があるでしょう。

**火箱**　永世中立国であるスイスは、強力な軍隊を持ち、国民皆兵制をとる〝武装中立〟国です。山地の中には欧州列強の侵略に備えて作られた軍事施設があり、民家の地下室には核シェルターがある。

**奈良林**　スイスでは、病院や学校、各家庭や集合住宅に核シェルターを設置することが法律で義務付けられています。収容率は一〇〇%を超え、八百万人のスイス国民全員が核シェルターに避難できる。シェルターには普段、ワインやチーズが保管され、有事の際はそれを食べてしのげるようになっています。

（注1）原発で重大な事故が発生した際に、原子炉格納容器の破損を防止するために原子炉内の蒸気を放出する装置。排気中の放射性物質を除去するフィルターを備えている。

## 自衛隊を活用せよ

**火箱**　非効率規制の最たるものが、「特定重大事故等対処施設（注2）」ではないでしょうか。原発の脅威を、地震や津波、竜巻といった自然災害のほか、人為的なテロまで含めたことは一定の評価ができます。

ところが、その特重施設が期限内に完成しなければ再稼働している原発を停止する、と決定したことには違和感があります。再稼働した原発は、重大事故等対策機能が足りているから再稼働が認められているわけで、わざわざ停止する必要はない。稼働しつつ特重施設の工事を進めるべきです。

**奈良林**　スイスのライプシュタット発電所には、三台の非常用電源が備わっています。地下室の二台やスイス軍の基地に預けたモバイル電源を加えると、全部で七台の電源が用意されている。

地下には巨大な貯水槽や注水ポンプがあって、原子炉に直接注水できます。ライプシュタット発電所をはじめ、海外の事例を参考に特重施設が規定されましたが、これはテロ対策というより、炉心の冷却系が途切れたときに炉心注水するための仕組みです。

**火箱**　そもそも、原発のテロ対策は、施設の完備のハード面の強化だけでは不十分です。

　二〇一八年十二月に改定された「防衛大綱」に、自衛隊による「原発等重要施設の防護」が盛り込まれました。ですが、具体的にどう守るかは記されていませんし、法律も十分ではない。人為的なテロから発電所を守るためには、施設の強化だけでは間に合いません。

　自衛隊は福島事故発生時、本来任務にはなかった原発への放水など、命を懸けて沈静化にあたった。もっと原発などの重要施設の防護に自衛隊が関わるべきだと思います。そのための法律の整備も急ぐべきでしょうね。

**奈良林**　災害時に黙々と救援活動を行う自衛隊員の姿は、国民の目に焼き付いています。徐々にイデオロギー的な自衛隊への反感は消えています。

**火箱**　一部の政党、国民には、自衛隊が武器を持つと戦争を起こす、基地があるから他国に攻め込まれるという発想があります。同様に、原発に自衛隊が関わることで地域の方々に無用な不安を与えてしまうと考える人たちもいる。

　しかし現実は逆で、自衛隊が近くにいて原発の安定的維持の後ろ盾となった方が、地域の住民に安心感を与える。そんな発想に変わってほしいと思っています。

（注2）故意による大型航空機の衝突などのテロにより、炉心の損傷が発生するおそれがある場合などに対し、放射性物質の放出を抑制するための施設。原子炉建屋から離れた場所に新設し、遠隔操作で原子炉の冷却を維持する。

## ハードとソフト

**奈良林**　二〇一九年五月、国会で原子力問題調査特別委員会が開催されました。国民民主党の斉木《さいき》武志《たけし》議員は、ハード（施設）だけでなく、ソフト（自衛隊）を活用すべきと主張しました。これは正論ですね。

**火箱**　米国での九・一一テロでは、世界貿易センタービルや国防総省に航空機が突っ込みました。テロは航空機だけでなく、例えば北朝鮮の小型船舶からロケット砲で攻撃したり、直接侵入して原子力施設を破壊するケースもあり得る。

**奈良林**　九・一一テロを思い返してもらえばわかりやすいのですが、航空機は十五度以下の水平に近い角度で原発に衝突する。したがって、アンテナや風車、あるいはゴルフ場のネットのようなものを張れば、手前で墜落させることができるはずです。

**火箱**　航空機は非常に脆《もろ》く、木々にぶつかっただけで墜落します。周りに太い高い樹木や鉄柱があれば、直撃の可能性は下がるわけです。ところが規制委の指導で、「火災を防ぐため」という理由で樹木は伐採されている。これでは原子力建屋が丸見えで、「標的にしてください」と言っているようなものです。

**奈良林**　例えば、北朝鮮が原発をミサイルで狙ったら、自衛隊は迷わず迎撃するでしょう。では、ハイジャックされた民間旅客機を自衛隊が撃ち落とせるか。国民感情を考えれば、簡単に引き金を引くことはできないはずです。

ところが、ネットや風車に衝突したとなれば、「勝手に墜落した」となる。十分な抑止力になるでしょう。

**火箱**　原発警護の任務がない現在の態勢では、突然の民航機テロ攻撃、ロケット攻撃に自衛隊が直ちには対応できません。しかし、法律が整備され警護任務が自衛隊に付与されたならば可能となるでしょう。

**奈良林**　ジェット機が飛んできてエンジンが取れると、建屋にぶつかって跳ね返ったり、まき散らかされた燃料で火事になったりするケースに備えなければならないのです。

**火箱**　ぶつかった後のエンジンがどこに転がるかまで考えると、まるで「要塞」のような施設ができてしまいます。

全ての脅威に対して完璧な安全の追求をするということは建前としては理解できますが、そのために再稼働が遅れて国民生活が犠牲になるようでは元も子もない。費用対効果の発想が必要です。

## 総合的なリスク

**奈良林**　米国のＮＥＩ（原子力エネルギー協会）やＩＡＥＡ（国際原子力機関）の専門家が来日した際、日本の規制にとって必要なのは「総合的なリスクを最小化すること」だと述べています。

要点を抑えて潜在的な危険をあぶり出し、ハードルを一つひとつクリアしていくのが規制のあるべき姿です。ところが規制委は、一つのハードルにこだわるあまり、全体が見えなくなってしまっている。

「要塞」が完成するまでは、ひとまず

モバイル電源や注水ポンプ車で補い、稼働させ続けるべきです。二〇一五年に日本保全学会で提案し、いまは五年の猶予期間が与えられていますが、期限が過ぎると停止に追い込まれてしまう。

**火箱**　二〇一九年四月、規制委はテロ対策施設の完成期限の延長を認めないことを決めました。関西、四国、九州の電力三社は、五原発十基で完成が遅れる見通しを示しています。つまり、このままでは再稼働済みの川内原発一号機は来年三月に期限を迎え、運転停止となってしまう可能性が高い。

最悪の場合、再稼働した九基も全て運転停止に追い込まれる恐れもあります。テロ対策を電力会社に義務付ける規制委の主張は、関係法令に沿った処置とはいえ、違和感があると言わざるを得ません。原発のテロ対策は国を挙げての事業です。

## 民主党政権の置き土産

**奈良林**　福島事故に際して、もっと自衛隊を活用していたら被害は小さかったでしょうね。当時、火箱さんは陸上幕僚長でした。

**火箱**　三月十一日夕方の時点で、事故が起きたことはわかっていました。ところが、「差し迫った危険はない」と伝えられた。

原発に関して原子力災害派遣計画に基づき除染所の設置、避難者の輸送支援など型通りの対応を実施しつつ、我々は東北での人命救助を再優先しました。原発の事故対応は、東電、旧原子力安全・保安院と官邸が何とかやってくれると認識していたわけです。

**奈良林**　三月十一日夕方は、初期対応で最も重要な時間帯でした。驚くことに、メルトダウンは刻一刻と進んでいるにもかかわらず、菅直人元首相が原子力安全委員会の班目春樹《まだらめはるき》委員長らを官邸に集めて「臨界とは何か」と勉強会をしていました。学生時代は理系だったのに、学生運動で講義をサボっていたからです。これで初動が遅れ、以後の対応がすべて後手に回った。さらに翌日、菅・元首相が自ら現地を訪れ、東電幹部や作業員らを混乱させた。現場の士気は下がったでしょうね。

**火箱**　その後、現地では電源車の輸送支援、給水・燃料の輸送支援が小規模で行われていました。

十四日十一時〇一分、三号機の水素爆発による隊員四名の負傷事案が起こり、十五日朝官邸から初めて放水依頼が下されました。そして十七日にヘリからの放水が開始される。正直なところ、「なんでもっと早く官邸は言ってくれなかったのか」「なんでもっと早く状況を教えてくれなかったのか」と思いました。

**奈良林**　でも翌日、あのヘリコプターの映像が全世界に報道され、我が国の日経平均株価が回復しました。

また、福島第二原発でも、津波で海水ポンプが損傷した。そこで自衛隊が、同じ型のポンプを東芝三重工場から空輸し、柏崎刈羽原発のモーターは陸送しました。そのおかげで、冷却系が回復して福島第二が危機を脱したわけです。

**火箱**　もっと早く冷却水なり、電源車を集めてくれと言ってくれれば、自衛隊は積極的に協力したはずです。

**奈良林**　しかし、菅・元首相はまったく反省していません。民主党から自民党に政権が移った直後、菅・元首相が北海道新聞のインタビュー取材に応じ、「とんとんと十基も二十基も動くなんてありえない。なぜなら、保安院を潰して原子力規制委員会を作ったからです。彼らは活断層の話を始めている」と豪語していました。

旧民主党政権下で作られた規制委が、いまだに審査を遅らせて再稼働を止めている。安倍首相が「悪夢のような民主党政権」と言いましたが、福島事故での対応、現行の原子力規制への〝置き土産〟を考えると、まさに「悪夢」としか言いようがありません。

**火箱**　規制委は行政や電力会社の経営などを考慮せず、「独立」の大原則を掲げて原発の再稼働を審査しています。つまり、政治は規制委を尊重する仕組みになっている。しかし政治は規制委だけに任せるのではなく、原発の再稼働の推進、規制基準の見直しなどを国益の観点から検討して、安全性や安定性、経済性、環境対応力のある電力のインフラ整備を進めるべきでしょう。

## 世界は「脱・脱原発」

**奈良林**　二〇一九年に筑波で原子力の国際会議があり、約八百五十件の論文が発表されました。そのうち、過半数が中国によるものでした。

中国は、米国ウェスティング・ハウスが作れなかったＡＰ１０００の建設を完遂し、商業運転を世界で初めて実現していますし、イギリスをはじめ外国への原発輸出を決めている。

ウクライナの空母を改修して「遼

寧」なる空母を作っていますが、それにAP1000を二十万kWに小型化した小型モジュール炉AP200を搭載すれば、あっという間に原子力空母が完成してしまう。トランプ大統領は中国に原子力技術を流さないよう対策を講じていますが、時すでに遅しです。

**火箱**　その一方で、日本の原子力発電プラント数は減少し、中長期的には人材や技術の維持は厳しい状況です。このままでは衰退の一途をたどってしまうでしょう。

原子力事業の維持・拡大には人材や技術の維持・伝承が必要で、そのためには新型プラントの建設が必要です。このままでは、技術が継承されず、業界全体が先細りしていく。

日本は被爆国で、原子力アレルギーがあるのは理解できます。しかし他方で、自前の資源の乏しい日本は、原発なしに生きてはいけない。政府の国民への原発への啓蒙活動、広報活動が必要です。

**奈良林**　立憲民主党や共産党の議員は、中国の原発には全く反対しません。ですが、中国で事故が起きたら、風に乗って日本に放射能が流れてくるわけです。だから私は、中国にフィルターベントを設置するようアドバイスしています。

原発が政治の道具に使われる日本では、小さなトラブルでも狙い撃ちにされて、高速増殖炉「もんじゅ」も廃炉にされた。かたや一党独裁の中国は、長期的な視点でエネルギー政策を考えることができ、高速炉の建設も進めている。

**火箱**　エネルギー政策は国家の安全保障という根本に関わります。政局や選挙の争点にしてはなりません。

**奈良林**　スウェーデンは、国民投票で原発廃止を決めましたが、日照時間が短い北欧では太陽光発電に依存するのも難しい。国民的議論の結果、原子力に頼らざるを得ないと結論付けました。いまや高レベル廃棄物の処分など、国家として原子力政策を進めています。

フランスのマクロン大統領は、原発からの電気供給を七〇％から五〇％まで減らすことにした。ところが、再エネでは$CO_2$が減らないと知り、ひとまず十年先まで現在の電源構成を維持することに決めました。

世界各地の新興国や途上国では、経済成長のための電力確保を目指して、原発新設計画が目白押し。世界の潮流は「脱・脱原発」です。

（『WiLL』二〇一九年八月号初出）

# 原子力防災とコロナウイルス対策

奈良林 直
東京工業大学特任教授

## リスクと予防保全の大切さについて考えよう

中国武漢で発生したコロナウイルスによる新型肺炎で、中国本土では、八万人の感染者と三千人を超える死者が発生しています(三月九日現在)。わが国や東南アジア各国、さらにはヨーロッパでも、多数の感染者と、死者が出始めている状況です。

またアメリカでは、インフルエンザが猛威をふるい、六万人近くの感染者と一万二千人の死者が発生しています。米国では例年、一万二千人から五万六千人が死亡しているのです。

死者の数から比較すれば、感染症の死者は原発事故に比べ圧倒的に多いのです。わが国では交通事故や自殺も多いですが、今回はリスクと予防保全の大切さについて考えてみましょう。

### 原発の放射能対策

世界一厳しいとされる新規制基準に合格した原発が過酷な事故を起こす確率は、隕石の落下確率と同じくらいに下がっています。原子力発電所では、万万が一(十のマイナス八乗)

御前崎市体育館に設置されたエアシェルター

の事故の際に放射性物質を濾《こ》し取るフィルターベントという放射能濾過装置と、住民の被ばくを防ぐためフィルターで浄化した空気を送り込むエアシェルター（左上写真）という避難設備が設置されています。実質的に地元の有意な汚染や被ばくは発生しないところまで安全対策が講じられたのです。このエアシェルター（空気で膨らむテント）は、空気浄化装置から供給される空気で膨らませるものです（左下写真）。

フィルターは、目の細かいフィルターと活性炭で放射性物質やヨウ素を除去します。デパートの屋上や遊園地で怪獣の形をした風船のような遊具のなかで子供たちが遊んでいるのを目にしますが、これを大きくして「かまぼこ形」のテントにしたのがエアシェルターです。エアテント内

空気浄化装置と送風ホース

への要配慮者（寝たきりの高齢者などを想定）を搬入し、フィルターで濾した清浄な空気を送風して避難施設とするのでエアシェルターと呼びます。

一月二十九日、静岡県御前崎市で開催された原子力防災訓練を視察しました。防災訓練当日は、要配慮者に扮した人が担架で搬入され、仮設ベットに寝かせて安全が確保されるまでの実働退避訓練となっています。エアテントの材質は高強度ポリエチレンで、体育館の舞台の下のパイプ椅子の収納庫から、地元の方々が協力して出し、二帳をファスナーで接続して膨らむまで約三十分の作業でした。ここまで準備しておけば、「予防保全」として被ばくのリスクを減らせるのです。

原発の立地地域にはこのような設

備がすでに準備されていますが、これは、感染症対策にも必要といえるでしょう。新型コロナウイルスによる肺炎やインフルエンザなど、国民の健康や生命を脅かす感染症についても、原発の安全対策を推進する工学者の立場から、リスクを下げる効果的な予防対策を提言したいと思います。

## 遺伝子とウイルス

私は四十四年前に大学院の「生物学特論」で、四種のアミノ酸の塩基からなる遺伝子と、たった数千の塩基からなる遺伝子が膜に入っただけの、ウイルスという存在を学びました。

ウイルスは短い遺伝子の塊のみで、生命の条件であるエネルギーや物質吸収の仕組みのない物質です。したがって、「生きとし生けるもの」の生物ではなく、遺伝子のみの侵入者（インベイダー）こそがウイルスといえます。

四種の塩基配列の文字列は、まるでタンパク質を合成するコンピュータのプログラミングの文字列のように、読み始めから読み終わりまで、一つ一つのタンパク質が細胞内で合成されます。

この細胞内ウイルスという外部からの侵入者が、殻の中身のウイルス遺伝子を注入するのです。栄養とエネルギーはたくさんあるので、この侵入遺伝子は猛烈なスピードで遺伝子であるウイルスをコピーし続け増殖します。ウイルスが侵入した細胞は変成し、やがて弾けます。そして、膨大な数のウイルスをまき散らすのです。

コロナウイルスも、エンベロープと呼ばれる膜で覆われ、ゴルフのティーのような形をした多数のスパイクを有するウイルスです。喉や目の粘膜の細胞に付着して穴をあけ、ウイルス中の遺伝子の塊を細胞内に注入します。細胞内のエネルギーとタンパク質を合成する能力を乗っ取って増殖し、細胞を変性させて発症させるのです。

患者の咳で二万個、くしゃみ一回で十万個の飛沫が発生しますが、一つ一つの飛沫には膨大な数のウイルスが含まれます。飛沫が乾いてウイルスだけになるとウイルスのスパイクは破壊され不活性化しますが、それまでの間、微細霧状の水滴は空気中に浮遊します。したがって、満員電車やエレベータ、クルーズ船、病院の待合室などの人と人が濃厚接触する近距離にいるときに感染リスクが高くなるのです。

## 人工ウイルスの可能性も

新型コロナウイルス（ＣＯＶＩＤ-19）にはＨＩＶ（エイズウイルス）のタンパク質を作成する塩基（遺伝情報）が挿入されていることをインド工科大学の科学者たちが発見しました。

ＨＩＶに感染すると体の免疫機構が崩壊します。つまり、一度陰性になった人でも、免疫力が落ちて再び陽性になる。この論文では、ＣＯＶＩＤ-19とＨＩＶとの「不可解な類似性」を科学的に検証して、人工ウイルスが世界中に拡散している可能性を指摘しています。

一方、中国天津南開大学の阮吉壽教授の研究チームは、ＣＯＶＩＤ-19の遺伝子地図（ゲノム）の塩基配列を分析した結果、ＳＡＲＳ（重症急性呼吸器症候群）には存在しないが、ＨＩＶやエボラ出血熱のウイルスと同様の突然変異の遺伝子があることを発見しました。研究チームは、ＣＯＶＩＤ-19は、ＨＩＶやエボラと同様の方法で人体に侵入するので、ＳＡＲＳよりも百倍〜千倍も伝染力が強いことが分かったとしています。

さらに、米司法省は一月二十八日、ハーバード大学の化学生物学部長が米政府に隠して中国から研究費を得ていたとして逮捕されたことをホームページ上で明らかにしました。この教授は米国防総省などから軍事関連の研究で助成を受ける一方、武漢理工大学と中国政府からも巨額の研究資金を得ていました。

コロナウイルスには、次亜塩素酸水が有効と言われています。白血球（好中球）が細胞内で発生する次亜塩素酸が細菌を殺す成分だといわれ、一〜二分でウイルスを不活性化（破壊）できるとするデータもあるのです。次亜塩素酸を使う空気清浄器が大手家電メーカーで販売されているので、「次亜塩素酸水」で検索してみてください。

次亜塩素酸は食塩水（塩化ナトリウム）を電気分解することで生成されるので、原料は無限と言っていいほどあります。天が与えた万能殺菌成分といっても、過言ではありません。

プールの水や水道水には塩素系の薬剤が注入されていますが、次亜塩素酸ができて殺菌するのです。この次亜塩素酸水の弱酸性希釈液を乗り物やオフィスの空調や加湿器のタンクに混ぜたり、スプレイ噴霧して消毒すれば、飛沫感染などを効果的に防止できると考えられます。クルーズ船の船内の空調にも噴霧すれば、船内感染は防げたのではないでしょうか。

　私は自宅で二週間ほど、加湿器のタンクに希釈した次亜塩素酸水を入れて使っています。ペットボトル程度の超音波加湿器も市販されているので、タクシーや観光バスで使用すれば感染予防になります。さらに、コロナウイルスだけでなく、インフルエンザの感染予防にも有効だと考えられます。

　マスクしている鼻と喉だけでなく、目の粘膜にも付着して侵入するため、花粉症対策の眼鏡も有効でしょう。医療関係者は全面マスクですが、病院に収容しきれなくなったりしたら、空気清浄機に噴霧して加湿すればよいのです。エアテントの中のウイルスは次亜塩素酸の噴霧で殺菌さるので、陰圧（外よりも低い圧力）にしなくても、テント内の空気や床は殺菌されます。したがって、それが外部に出ても問題なくなります。

　ウイルスは温度が上がると死滅すると言われていますが、高温多湿のシンガポールやマレーシアなどでも感染が進んでいて、そう簡単には収束しないと思われます。したがって、早めの抜本的な対策が必要ではないでしょうか。

　このような空調機器や小型加湿器の活用には、厚生労働省のみならず、経済産業省や国土交通省の積極的な支援が欠かせません。我が国政府が感染症から国民を守る迅速な行動が必要です。感染拡大後の「事後保全」は大変です。

## 事後保全の治療

　COVID-19は潜伏期間が長いので、だれが患者か分かりません。体温計測や咳などの体調変化を素早くとらえて、検査を受ける必要があるといえるでしょう。

　原発事故も過酷事故を抑え込むのが難しかったように、一度、患者が増えてしまうと事後保全としての治療は困難を極めます。中国・武漢のようにならないためには、感染の拡大を極力防ぐことが成否の分かれ道なのです。

　海外では、患者が多数発生した病院をスプレー消毒していますが、患者が多数発生する前の予防保全として次亜塩素酸水の空調などへの噴霧

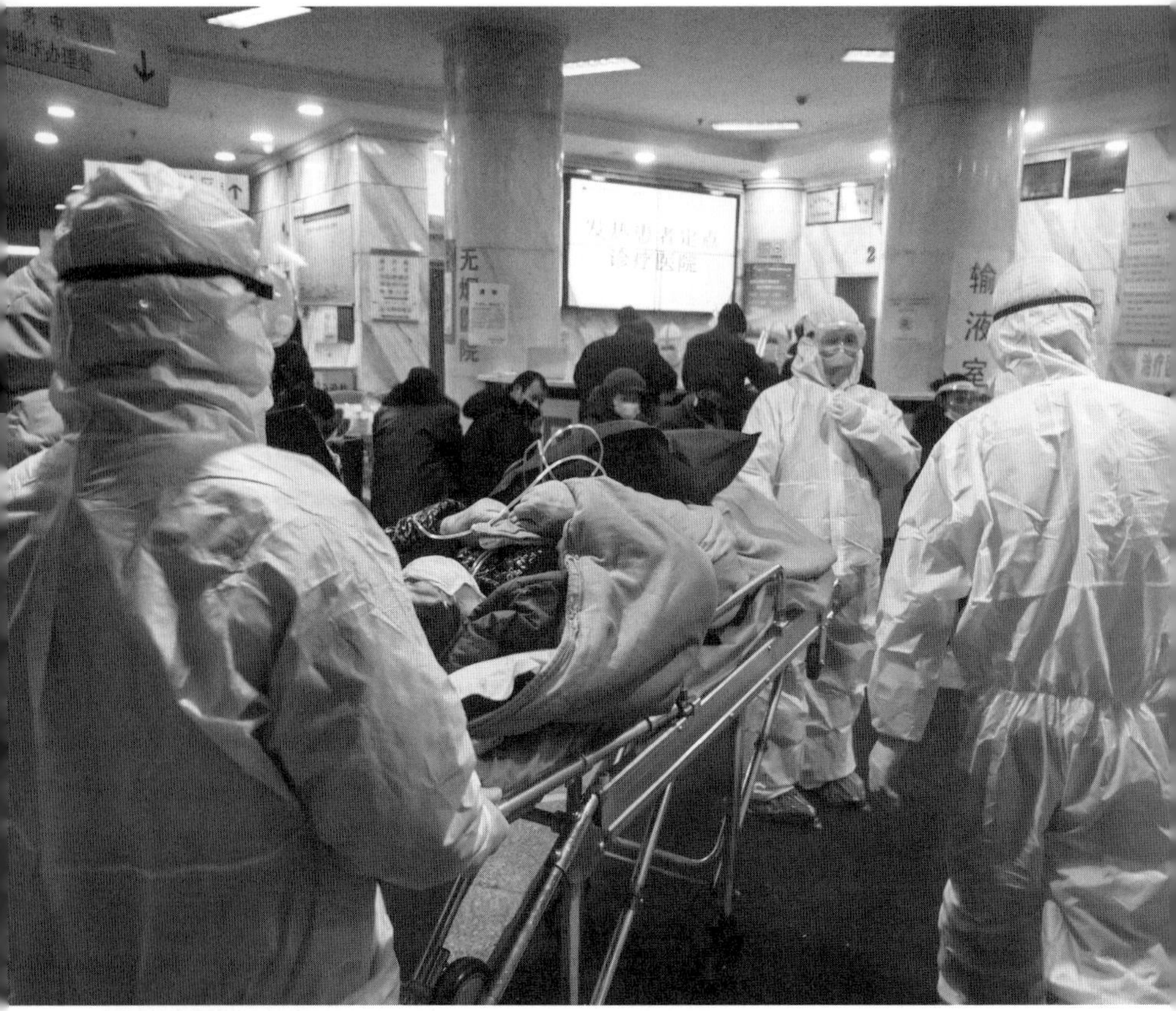

中国・武漢市の病院で、新型コロナウイルス対策として防護服を着用して患者を搬送する医療関係者（写真提供：AFP＝時事）

で殺菌を心掛けることが必要です。タワーマンションも、各部屋が空調のダクトでつながっていると感染が広がりやすいのです。

なお、治療薬としては、インフルエンザウイルスの遺伝子複製を阻害する「アビガン」や喘息薬「シクレソニド」が有望視されています。今後の成果に期待したいですが、事後保全はまだ手探り状態です。

ならばやし　ただし

一九五二年、東京都生まれ。東京工業大学大学院理工学研究科原子核工学修士課程修了。東芝に入社し原子力の安全性に関する研究に携わる。九一年、工学博士。同社原子力技術研究所主査、電力・産業システム技術開発センター主幹を経て、二〇〇五年、北海道大学大学院工学研究科助教授に就任。一六年から名誉教授。二〇一八年四月より東京工業大学特任教授。二〇一八年一月、国際原子力機関（IAEA）、米国原子力規制委員会（NRC）などの専門家が参加する世界職業人被曝機構の北米シンポジウムで『この1年に世界で最も傑出した教授賞』を受賞。

# $CO_2$回収・利用・貯留技術の現状

公益財団法人 地球環境産業技術研究機構（RITE）副理事長・研究所長
山地憲治

温暖化ストップに向けた新技術開発は課題も多い——期待できるか

## 年間五十億トンをCCSで

私が研究所長を務める地球環境産業技術研究機構（RITE）の主要な技術開発テーマの一つに、CCSがある。CCSとは、$CO_2$回収・貯留技術（$CO_2$ Capture and Storage）のことだが、世間的な認知度は低い。研究開発現場では、最近は$CO_2$回収・利用技術（CCU：$CO_2$ Capture and Utilization）もCCSと並行して進められているので、合わせてCCUSと呼ばれることも多くなった。地球温暖化対策の中でCCUSに期待されている役割は大きい。CCUSの現状と課題、展望を紹介したい。

地球温暖化は$CO_2$を主体とする温室効果ガスが大気中に貯まることによって生じている。省エネや再エネ、原子力など温暖化対策としてよく知られている技術は、エネルギー利用から発生する$CO_2$を削減する技術であってわかり易い。これらに対してCCUSは、$CO_2$の発生は前提とするが、$CO_2$が大気中に貯まらないように、大気に放出される前に回収して地中などへ貯留（ＣＣＳ）あるいは素材製造などに利用する（ＣＣＵ）技術である。

大気中には多くの$CO_2$が貯まっているので、$CO_2$を大気から直接回収するＤＡＣ（Direct Air Capture）技術も検討されている。ＤＡＣは大気から$CO_2$を減らすので負の排出技術（ＮＥＴｓ：Negative Emission Technologies）と呼ばれている。ＮＥＴｓには他にもバイオマス利用とＣＣＳを組み合わせるＢＥＣＣＳ（Biomass Energy with ＣＣＳ）や植林による大気中の$CO_2$固定等がある。海洋肥沃化（鉄分等の散布によって植物プランクトンを増殖させ大気下部の$CO_2$を吸収して海底に生物ポンプで送る技術）もＮＥＴｓに分類される。

国際エネルギー機関による世界の$CO_2$削減量見通し（IEA, Energy Technology Perspectives 2017）では、パリ協定の長期目標を実現するために２０６０年に必要とされる削減量約三百億トンの一六％、約五十億トン／年をＣＣＳによって実現することが期待されている。わが国の現在の$CO_2$排出量が約十三億トン／年であることと比較しても、その大きさが理解できるだろう。もっとも、ＣＣＵについては、温暖化対策に寄与するためには億トン規模の莫大な量の$CO_2$利用が必要で、既に実用化している石油の増進回収（ＥＯＲ: Enhanced Oil Recovery）での$CO_2$利用以外は経済的なハードルが高い。

## ＣＣＵＳにも様々な技術

ＣＣＵＳを実現するための主要な技術分野は、$CO_2$分離回収、$CO_2$貯留、$CO_2$利用に分けられる。工業用$CO_2$生産のための分離回収やＥＯＲなど既に商業的に行われている技術もあるが、温暖化対策として大規模に行うには多くの課題がある。

### ①$CO_2$分離回収技術

$CO_2$分離回収には、化学吸収、物理吸収、固体吸収、物理吸着、膜分離、深冷分離など様々な技術がある。また、純酸素燃焼により排出物を$CO_2$と水蒸気だけにして気水分離するという方法もある。

ＲＩＴＥでは、製鉄所の高炉ガスから$CO_2$を回収するアミン系の化学吸収液、石炭火力の煙突の手前で$CO_2$を回収する固体吸収材（化学吸収液を固体に担持したもの）、石炭ガス化の過程で$CO_2$を回収する膜分離技術を開発している。それぞれ対象とするガスの組成や圧力に対応して使い分けている。

例えば、膜分離では対象ガスの圧力が高ければ有利になる。開発された化学吸収液は工業用$CO_2$生産向けであるが既に商業化しており、国内で二基のプラントが稼働している。また、固体吸収材については石炭火力発電所のサイトで実証を計画する段階に達している。CCSのコストの中で$CO_2$分離回収部分の占める割合が大きいので、所要エネルギー量削減などコスト低減が課題である。

なお、世界的に見れば、$CO_2$分離回収は化石燃料燃焼にともなうものだけでなく、天然ガス生産に付随して$CO_2$の分離回収が大規模に行われている。ノルウェーでは、炭素税が導入されていることもあり、回収した$CO_2$を海底下の帯水層に圧入貯留している。この場合には、分離回収コストはもともと天然ガス生産コストに含まれており、圧入貯留に伴うコストだけが追加費用となり経済性をクリアするハードルが低くなっている。

## ②$CO_2$貯留技術

$CO_2$貯留は大きく分けて、地中貯留と海洋隔離がある。海洋隔離については、海洋溶解と深海底貯留がある。三キロメートル以深では$CO_2$は海水より重くなるので、底へ貯まりハイドレートを形成して安定化すると推定されている。しかし、二〇〇六年に発効したロンドン議定書により海洋隔離は禁止された。なお、海底下地中貯留については例外として条件付きで認められている。

ということで、現在できる$CO_2$貯留は地中貯留だけであるが、地中貯留にも帯水層貯留、炭層貯留、油層貯留（EOR）、枯渇ガス田利用、鉱物化固定など様々な技術がある。RITEが開発している地中貯留技術は帯水層貯留で、新潟県長岡で地下百メートルの帯水層に二〇〇三年七月から一年半かけて約一万トンの$CO_2$を圧入した。長岡サイトは圧入井の他に三本の観測井があり、圧入終了後も継続して$CO_2$の挙動をモニタリングしており、貯留した$CO_2$がほとんど移動することなく安定していることを確認している。

現在は、北海道苫小牧沖の海底下の帯水層に年間十万トン規模で貯留する大規模実証事業に参加し、独自に開発したモニタリング技術の適用などにより貯留の安全管理技術の開発を行っている。

### ③$CO_2$利用技術

$CO_2$利用は、先述したように現在大規模に行われているのはＥＯＲだけであるが、様々な研究開発が進められている。

具体的には、水素と$CO_2$からメタンやメタノールを合成して化学品や燃料を製造する技術（人工光合成も含む）、$CO_2$を電解や高温熱で還元して合成ガス（$CO + H_2$）を製造する技術、ＣａやＭｇイオンと反応させて炭酸塩を製造してコンクリート材料に利用する技術など様々な研究開発に取り組んでいる。いずれも温暖化対策として十分な量の$CO_2$を利用できるか、利用プロセス全体（ライフサイクル）を通して本当に$CO_2$削減になるのか、コスト競争力があるか等を見極める必要がある。

## ＣＣＳ構想と$CO_2$貯留の開始

地球温暖化対策としてのＣＣＳの提案は、国際応用システム分析研究所（ＩＩＡＳＡ）のマルケッティが一九七七年に書いた論文が最初だと私は考えている。この論文でマルケッテイは、ジブラルタル海峡の深部に$CO_2$を放出することにより、大西洋の深いところに$CO_2$を大気から長期間隔離する海洋貯留を提案した。地中海は塩分濃度が大西洋に比べて高く、大西洋と地中海をつなぐジブラルタル海峡の深部では大量の海水が大西洋の千五百メートル程度の深さに流出しているが、マルケッテイはこの現象を利用する$CO_2$の海洋貯留を構想したのである。

一九九〇年頃から地球温暖化対策が本格的に議論され始めた当初は、$CO_2$貯留の研究の焦点は海洋貯留が主体だった。しかし、現実の温暖化対策としての最初の$CO_2$貯留は、ノルウェーのスタットオイルが北海のSleipnerで天然ガスに随伴する$CO_2$を海底下の帯水層に一九九六年から年間百万トン規模で注入し始めた地中貯留である。天然ガスには$CO_2$が随伴することが多く、通常は$CO_2$を分離して大気放出しているが、ノルウェーでは当時から炭素税が導入されていたこともあり$CO_2$の地中貯留を始めたのである。なお、地球温暖化対策ではないが、$CO_2$の地中圧入は米国において一九七〇年代から石油増進回収（ＥＯＲ）を目的として大規模に行われている。

$CO_2$の海洋貯留（海洋隔離とも言

い、海洋溶解と深海底貯留などの方法がある）については、一九九六年に採択され二〇〇六年に発効したロンドン議定書により事実上禁止された。なお、海底下地中貯留については例外として認められている。

わが国での$CO_2$貯留の実績は、ＲＩＴＥが二〇〇三年から二〇〇五年にかけて長岡で地下千百メートルの帯水層に約一万トンの$CO_2$を圧入したのが最初である。長岡のサイトでは現在まで継続的に地下に貯留した$CO_2$のモニタリングを行っており、ほとんど移動することなく安定していることを確認するとともに、帯水層への溶解や鉱物化などの化学変化を観測している。二〇一六年末からは日本ＣＣＳ調査（株）が苫小牧において年間十万トン規模の$CO_2$圧入を開始し、二〇一八年末までに二十万トン以上を圧入している。苫小牧では石油精製工場から$CO_2$を回収し、地上から斜めに圧入井を掘り海底下の帯水層に地中貯留している。苫小牧での$CO_2$貯留実証においてもＲＩＴＥは各種モニタリング技術の開発適用とともに安全管理システムの開発を行っている。また、二〇一六年四月にはＲＩＴＥが中心となり産総研と民間会社四社で二酸化炭素地中貯留技術研究組合を設立し、ＣＣＳの実用化に向け、わが国の貯留層に適した$CO_2$地中貯留技術を開発するとともに、ＣＣＳの社会受容性の獲得を志向した研究開発を始めている。世界的には、大規模な$CO_2$貯留事業が二十件近くすでに稼働している。

現在稼働している大規模$CO_2$貯留事業の多くで貯留場所は油ガス田であり、$CO_2$をＥＯＲに利用している。また、貯留される$CO_2$の発生源には天然ガスが多い。ＥＯＲ用の$CO_2$は販売収入があり、また、天然ガス随伴の$CO_2$は貯留に関わりなく分離されているので追加コストが少なく、経済性のハードルが低い。これはＣＣＳの大きな課題が経済性であることを示している。一方、ＥＯＲ利用が主体ではあるが、稼働中の大規模貯留事業だけで年間三千万トン以上の$CO_2$が圧入されており、その他も含めると年間$CO_2$圧入量は現在四千万トン水準に達していることにも留意する必要がある。現在中国など五カ所で大規模$CO_2$貯留施設が建設中で計画中のものも二十件ほどある。

## $CO_2$貯留技術の概要

$CO_2$貯留技術については二〇一一

年にシーエムシー出版から刊行された『ＣＣＳ技術の新展開』（茅陽一監修）など様々な解説資料があるので、ここでは簡単に概要のみを記しておこう。

先述したように、当初は$CO_2$貯留として海洋貯留が主流だったが、海洋貯留には、海洋に$CO_2$を溶解させる技術と深海底に$CO_2$を堆積させる技術がある。三千メートル以深では$CO_2$は海水より比重が大きくなり海底に沈降する。また、深海の温度・圧力条件の下では$CO_2$は水と反応して$CO_2$ハイドレート（固体）を形成するので安定性が増すと考えられている。ただし、既に述べたように、海洋貯留はロンドン議定書によって事実上禁止されている。

現在主流の$CO_2$地中貯留では、帯水層と油ガス田への貯留（ＥＯＲ）が大規模に行われているが、その他にも石炭層に貯留してメタンを回収する技術や鉱物化して貯留する技術などの研究開発が行われている。

二〇〇五年に気候変動に関する政府間パネル（ＩＰＣＣ）が公表したＣＣＳに関する特別報告によれば、世界全体での$CO_2$貯留容量は、帯水層で一兆トン以上、油ガス田で数千億トンと評価されている。わが国についても二〇〇五年にＲＩＴＥが概略評価を行い、帯水層貯留で千四百六十一億トンとされている。つまり貯留容量は十分と考えてよい。

地中貯留に関する技術には、貯留容量や圧入速度を評価する地質モデリング技術、圧入井の掘削技術や$CO_2$圧入技術、貯留した$CO_2$の挙動を観測するモニタリング技術などがある。圧入技術としては$CO_2$をマイクロバブル化して効率化するなどの新技術が研究されている。モニタリング技術は$CO_2$地中貯留の安全性評価に関しても重要で、弾性波トモグラフィー始めとして、比抵抗（電気伝導度）検層、中性子検層、重力モニターなどが行われている。

## 世界で行われる$CO_2$回収事業

次に$CO_2$回収を取り上げる。なお多くの場合、$CO_2$回収は混合物からの$CO_2$分離と分離後の回収の二つのプロセスから構成されるので、専門家は$CO_2$分離・回収と呼ぶことが多いが、ここでは簡略化して$CO_2$回収とする。

温暖化対策が主目的ではないが、$CO_2$回収は現在でも世界全体で年間約四千万トン規模で行われている。

このうち半分以上は天然ガス精製に伴って回収されており、回収された$CO_2$の多くは、$CO_2$貯留の解説でも述べたように、石油の増進回収（EOR）に使われている。また、わが国でも溶接のシールドガスやドライアイス生産、野菜工場での$CO_2$施肥などのために年間約百万トンの$CO_2$が回収・利用されている。なお、回収というプロセスを経ることなく化学品製造工程で発生する$CO_2$利用も含めれば、尿素などの生産にともない、世界全体では年間一億トンを超える$CO_2$利用があるだろうと推定されている。

このような現在の工業用$CO_2$は、排ガスからの$CO_2$回収と天然ガス（$CO_2$を随伴することが多い）・プロセスガス（化学工場の副生ガスなど）からの回収によって生産されている。排ガスからの$CO_2$回収については、三菱重工エンジニアリング社の化学吸収法による回収設備が世界市場の半分以上を占めている。

## 四つの方法

現在商用化されている$CO_2$回収技術は、化学吸収法、物理吸収法、膜分離法、吸着分離法の四種類に大別される。$CO_2$原料ガスの温度、圧力、不純物等の特性により適切な回収技術が選定される。

なお、膜分離法に使う分離膜には無機膜と有機膜がある。無機膜は膜の孔のサイズによって物理的にガス分離を行う。RITEが開発中の分離膜は有機膜であり、孔に$CO_2$との化学的親和性を持たせて$CO_2$を選択的に透過させる技術で分子ゲート膜と呼ばれている。

現在利用されている$CO_2$回収技術の主体は化学吸収法であるが、化学吸収法ではアミン系の吸収液と$CO_2$との化学反応を利用して$CO_2$分離を行う。その後、加熱して吸収液から$CO_2$を再生・回収する。温暖化対策として大量の$CO_2$回収を行う場合には再生・回収に要するエネルギーを小さくすることが求められる。

RITEが新日鐵住金とともに開発した吸収液は、再生温度百℃以下、回収エネルギー二・〇GJ／t-$CO_2$で、工業用$CO_2$生産向けではあるが既に商用化している。固体吸収材による$CO_2$回収もRITEが開発中の技術で、これはアミンを多孔質担体に担持して使用するので再生時に比熱の大きい水を加熱する必要がなく、$CO_2$回収エネルギーを一・五

ＧＪ／ｔ-$CO_2$以下にできる見込みを得ている。

　ほかにも$CO_2$回収技術として、純酸素燃焼とケミカルルーピングがある。純酸素燃焼では燃焼生成物が$CO_2$と水蒸気なので気水分離が使える。ただし、酸素製造に追加コストとエネルギーが必要になる。

　純酸素燃焼の中にはクローズドＩＧＣＣ（石炭ガス化複合サイクル）という形態もある。クローズドＩＧＣＣではガス化炉でも空気を使わず酸素を使い、石炭搬送にも回収$CO_2$を使う。また、ケミカルルーピングとは、例えば鉄のように酸化物が複数ある化学物質を使って石炭を燃やし、酸素が減った酸化物に再び酸素を付加して繰り返し利用するシステムのことで、このプロセスでも生成物は$CO_2$と水蒸気だけになるので容易に$CO_2$を回収できる。ケミカルルーピングには、他にもセメント工場でのカルシウムルーピングなど種々のアイデアがあるが、まだ実用化には遠いと思われる。

## $CO_2$回収の課題

　今まで説明したように、$CO_2$回収は市場価値がある工業用$CO_2$生産向けにはすでに実用化している。しかし、ＣＣＵＳに適用するにはさらなるコスト削減が必要である。そのためには、$CO_2$回収エネルギー低減をはじめとして、ガス源の特性（温度、圧力、不純物）に適した種々の技術の開発を並行して進めることも大切である。

　回収する$CO_2$の純度に厳しい要件が求められる工業用$CO_2$生産とは異なり、$CO_2$を地中に隔離するＣＣＳでは回収$CO_2$の濃度や不純物に対する要件は緩和できると考えられるのでコスト低減の可能性もある。

　最近ではネガティブ排出技術として大気中の$CO_2$を直接回収するＤＡＣも注目されている。毎年十月に東京で開催されている国際会議ＩＣＥＦ（Innovation for Cool Earth Forum）では注目すべき革新的温暖化対策技術についてロードマップを作成しているが、二〇一八年にはＤＡＣが取り上げられている。

　ＤＡＣでの回収技術は化学吸収法など従来の回収法の適用も試みられているが、イオン交換樹脂やカルシウムイオンなどの利用も検討されている。$CO_2$回収技術は既に実用化しているといえるが、地球温暖化対策として大量の回収を経済的に行うためには課題も多い。

## 温暖化対策としての$CO_2$利用

現在でも$CO_2$は様々に利用されている。国内でも溶接用ガスやドライアイス製造などで年間約百万トンの$CO_2$需要がある。最近では植物工場などでの$CO_2$施肥も一般的になった。また、世界的には石油の増進回収（EOR）を主体として年間$CO_2$需要は約八千万トンと推定されている。これらは商品としての$CO_2$の需要だが、その他にも尿素生産など化学品製造工程内で閉じた形態で発生・利用されているCO₂は、合計すると一億トンを超えている。ただし、これら全てが地球温暖化対策としての有効というわけではない。温暖化対策としてのCO₂利用の現状と課題を考えたい。

回収したCO₂を貯留するCCSは廃棄物処分に相当し必ず追加コストがかかるが、$CO_2$を商品として有効利用できれば収入が期待できる。つまり、$CO_2$のリサイクル利用である。耐久性のある素材に変えて$CO_2$を固定すればゼロ排出となり、さらに燃料に変換して化石燃料を代替して再び燃焼しても、もともと大気に放出される筈だった$CO_2$が出るのだから$CO_2$中立と主張できる。これがビジネスとして成立すれば確かに素晴らしい。

安倍首相は二〇一九年一月のダボス会議で、人工光合成技術などを引用して「今こそCCUを、つまり炭素回収に加え、その活用を考えるときなのです」と述べ、持論の「経済成長と環境の好循環」を実現するイノベーションとして$CO_2$回収・利用（CCU）への意欲を示した。また、この発言を受ける形で、経済産業省はCCU実用化に向けたイノベーション促進を目的に資源エネルギー庁にカーボンリサイクル室を設置した。

カーボンリサイクルというと響きが良いが、地球温暖化対策として意義あるものにするには高いハードルがある。経済的合理性が求められるのはもちろんのこと、温暖化対策として十分な量の$CO_2$を利用できるか、利用プロセス全体（ライフサイクル）を通して本当に$CO_2$削減になるのかを見極める必要がある。地球温暖化対策としては世界全体として年間で億トン規模の莫大な量の$CO_2$利用が必要で、現状ではEORを除けば利用規模としては物足りない。ドライアイスや溶接用ガスなどの利用は、他の$CO_2$排出活動を代替することなく、短期間で$CO_2$が大気に放出されるので温暖化対策としての意義は認められない。なお、EOR用に$CO_2$を利用した場合、石油増進生産時に一部は大気に戻るが多くは地中にとどまっている。

## $CO_2$利用技術の分類と評価

$CO_2$利用技術は、$CO_2$のまま直接利用する場合と化学的・生物学的変換を行って利用する場合の大きく二つに分類される。

$CO_2$利用技術については様々な研究開発が進められている。具体的には、水素と$CO_2$からメタンやメタノールを合成して化学品や燃料を製造する技術（人工光合成も含む）、$CO_2$を電解や高温熱で還元して合成ガス（$CO+H_2$）を製造する技術、CaやMgイオンと反応させて炭酸塩を製造してコンクリート材料に利用する技術など様々な研究開発に取り組んでいる。このような化学変換を利用した$CO_2$利用では、水素などの原料調達や化学反応に必要な投入エネルギーに伴う$CO_2$排出を評価する必要がある。

$CO_2$はエネルギー的に極めて安定な物質である（$CO_2$の生成熱（エネルギー的安定度）は三百九十四kJ／molでガスの中で最も大きい）。したがって、$CO_2$を原料として化学合成をするにはほとんどの場合大きなエネルギー投入が必要になる。再生可能エネルギーや原子力を利用して、エネルギー投入に伴う$CO_2$発生を抑制することが温暖化対策としての$CO_2$利用には極めて重要である。

また、研究開発中の$CO_2$利用技術の多くで水素を使うが、温暖化対策としての利用のためには水素も$CO_2$フリーで生産しなければならない。$CO_2$フリー水素の製造にも多くの技術経済的課題があるし、水素をそのまま利用する場合との比較も行う必要がある。例えば、$CO_2$と水素からメタンを製造する場合、一モルのメタン生産には一モルの$CO_2$と四モルの水素が必要になる。メタンに変換すれば、既存の都市ガスインフラが使えるというメリットがある一方で、水素の持つエネルギーの二〇%以上が失われることも考慮しなければならない。

実際上無限にある大気中の$CO_2$を回収して有効利用できれば、$CO_2$利用はポジティブな価値を持つネガティブ排出技術となるなど、$CO_2$利用（CCU）は潜在的には大きな魅力がある。同じような効果を持つBECCS（バイオマスエネルギー＋CCS）で懸念されるような生態系への脅威も想定しがたい。このように、$CO_2$利用への期待は高いが、$CO_2$利用システム全体の評価を行って、温暖化対策としての有効性を慎重に検討する必要がある。

## CCUSの経済性評価

CCUSの経済性と政策について解説したい。二〇〇五年度の評価なので最新ではないが、CCSのコストについては、RITEが解析評価を行っているが、新設石炭火力発電所で発生する$CO_2$を地下帯水層に貯留する場合のコストは七千三百円／t-$CO_2$、既設石炭火力の場合は一万二千四百円／t-$CO_2$と評価されている。コスト内訳の中では、$CO_2$回収に関するコストの比率が高く、各々五八％と六三％になっている。CCSを適用すると火力発電の効率が落ちるのでkWh当たりの石炭火力の$CO_2$排出量を一キログラムと少し大きめに想定すれば、新設石炭火力の場合の発電コストとしてはkWh当たり七・三円の増分になる。

最近のCCSコスト評価例としては、米国の国立エネルギー技術研究所（NETL）が二〇一五年の報告で超臨界微粉炭火力の場合に六十・五ドル／MWh（約七円／kWh）の発電コスト増分、英国エネルギー技術研究所（ETI）も二〇一六年に微粉炭火力について三十一ポンド／MWh（約五円／kWh）の増分と評価している。いずれも二〇〇五年のRITEの評価と大きくは変わらない。この程度のコスト増であれば、バイオマス発電などと十分に競争可能な水準である。なお、二〇〇五年のRITEの評価では、コストシェアが最も大きい$CO_2$回収コストは約四千円／t-$CO_2$（新設石炭火力の場合）としているが、現在開発中の技術では分離エネルギーの減少などにより二千円台を目指している。

コスト低下は期待されるもののCCS自体には金銭的な収益はないので、地球温暖化対策としての導入支援策が必要である。ちなみに、米国では二〇一八年に45Qという法制度を制定し、EORについては三十五ドル／t-$CO_2$、CCSでは五十ドル／t-$CO_2$の税額控除を行う仕組みを導入している。

$CO_2$利用技術については、経済産業省が二〇一九年六月にカーボンリサイクル技術ロードマップを作成し、同月に軽井沢で開催されたＧ２０エネルギー・環境閣僚会合でも水素などとともに推進すべき注目技術として取り上げられた。

経済産業省と文部科学省が連携して作成した「エネルギー・環境技術のポテンシャル・実用化検討会」の報告書（二〇一九年六月公表）でもＣＣＵが取り上げられており、エネルギー投入や$CO_2$発生のＬＣＡ評価の重要性を指摘するとともに$CO_2$削減可能性を定量的に評価している。また、同報告書では$CO_2$のメタネーションについて経済性評価を示している。それによると、直近のＬＮＧ価格（十ドル／ＭＭＢＴＵ）並みにするには水素を約三円／$Nm^3$で調達する必要があるとされており、経済性の壁は高い。同報告書は$CO_2$のコンクリート吹込み（製品名ＳＵＩＣＯＭ）の経済性も報告しており、埋設型枠用であればコストは一般製品の一・一倍から一・七倍、より汎用的な道路ブロックについては三・三倍から四・七倍となり、一部限定的な用途では商用化されているが、更なるコストダウンの必要性を指摘している。

## ＣＣＵＳへの政策対応

ＣＣＵＳ技術は地球温暖化対策として有効であるが、現在のところ経済性に課題がある。わが国政府は苫小牧におけるＣＣＳの実証試験とともに、貯留の安全性評価技術やコスト低減を目指した$CO_2$分離・回収技術の研究開発を推進し、貯留可能量のポテンシャル調査を実施している。また、ＲＩＴＥが中心となって産総研と民間会社四社で設立した二酸化炭素地中貯留技術研究組合は年間百万トン規模の貯留に向けた研究開発を行ってＣＣＳの事業化を目指している。

ＣＣＵについても前述したように、わが国はカーボンリサイクル技術ロードマップを作成し、G20エネルギー・環境閣僚会合でもＣＣＵを重要なイノベーションとして推進する旨を表明し賛同を得た。国際的には、国際エネルギー機関（ＩＡＥＡ）が一九九一年に温室効果ガス対策プログラム（ＩＥＡ ＧＨＧ）を設立し、ＣＣＵＳ技術の研究開発の国際連携を進めている。ＩＥＡ ＧＨＧはＧＨＧＴ（温室効果ガス制御技術）という名称の国際会議を二年毎に開催し、世界のＣＣＵＳ研究成果を共有する重要な場を提供している。ＲＩＴＥ

は、ＩＥＡ ＧＨＧの日本代表機関で、二〇一二年には京都でＧＨＧＴ-11を現地実施機関として開催した。二〇二〇年にはＧＨＧＴ-15がアブダビで開催されることになっている。

二〇〇三年六月には、ＣＳＬＦ（炭素隔離リーダーシップフォーラム）が米国の呼びかけにより設立され、ＣＣＵＳの研究開発、実証、商業化のための国際協力の推進を進めている。ＣＳＬＦの加盟国は、二十五カ国・一地域（欧州委員会）で、「政策グループ」と「技術グループ」に分かれて活動しており、日本からはそれぞれ経済産業省とＲＩＴＥが参加している。また、ＣＣＳの安全性に係る国際基準などの国際標準の策定作業（ＩＳＯ／ＴＣ二六五）が進められており（ＲＩＴＥが国内審議団体を務める）、わが国の民間企業の海外展開を支える環境整備を行っている。最近では、ＣＥＭ（クリーンエネルギー閣僚会合）が二〇一八年五月にＣＣＵＳイニシアティブを設立し、政府・産業・金融の連携を強化、有望なエリアを特定し早期の案件形成に向けてベストプラクティスの共有を図っている。

このように国内外でＣＣＵＳへの取組が行われているが、現実には大規模$CO_2$利用となるＥＯＲ（石油増進回収）と組み合わせる場合の他は、既に分離されている天然ガス随伴の$CO_2$の貯留が実施されている程度で、地球温暖化対策として火力発電所などの大規模$CO_2$発生源に対するＣＣＵＳはほとんど進んでいない。このためには更なる研究開発によって経済性を改善するとともに、圧入に伴う誘発地震や$CO_2$漏洩などの可能性へのリスク対応を確実に行い、ＣＣＵＳの社会受容性を確保する必要がある。

経済性改善については増分コストゼロにはなり得ないので、再生可能エネルギーや省エネルギー政策でも採用されているような、誘導的規制や導入インセンティブを与える制度が必要となろう。

やまじ　けんじ
香川県出身。一九七二年四月、東京大学工学部原子力工学科卒業。一九七七年三月東京大学大学院工学系研究科博士課程修了、工学博士。同年、（財）電力中央研究所入所。その後、米国電力研究所（ＥＰＲＩ）客員研究員、電力中央研究所・エネルギー研究室長等を経て、一九九四年、東京大学教授（大学院工学系研究科電気工学専攻）、二〇一〇年より東京大学名誉教授、（公財）地球環境産業技術研究機構（ＲＩＴＥ）理事・研究所長（二〇一九年より副理事長・研究所長）。専門分野はエネルギーシステム工学。エネルギー・資源学会会長（二〇一一年～一二年、現在は名誉会員）、日本エネルギー学会会長（二〇一五年～一七年、現在は参与）、日本学術会議会員（二〇〇五～一四年、現在は連携会員）等を歴任。政府の各種審議会委員を務め、現在は、総合資源エネルギー調査会・新エネルギー小委員会委員長等。エネルギーシステム等に関する著書は八十冊を超えており、論文多数、ＩＰＣＣ第三次および第四次報告書（いずれもＷＧ３）代表執筆者。

国家の根幹たるエネルギー政策

# 日本は原子力でリーダーシップを！

リチャード・ムラー
カリフォルニア大学バークレー校物理学教授

## 日本は科学的、技術的、工学的な能力が高い

私がこの仕事を始めたころ、地球温暖化について疑問に思っていました。データは調整され、測定機器にも問題があったからです。そこで私は一人の科学者として、温暖化研究が適正に行われていたかどうか調査し始めました。そして苦節二年半、どうにか結果にたどり着きました。

非常に明確で説得力のある結論として、地球温暖化は現実であるということです。原因は二酸化炭素。私たちが何もしなければ、将来的に二酸化炭素は急激に増え続けます。大部分は中国、インドなどの発展途上国が排出したものとなります。発展途上国は、エネルギー源の大部分を安価な石炭に頼っているからです。

地球温暖化を食い止める上で最も大きな障害は、人間が快適に暮らすために膨大なエネルギーを使用していることです。そしてエネルギー生産は巨大であり、多少減らしても焼け石に水だということです。ですから、エネルギー転換を起こすにはそれに対抗できる規模でなくては意味がありません。さらに日本やアメリカが温暖化対策に予算を費やしても、そ

れが高価であれば発展途上国は導入しないでしょう。ですから、持続可能なエネルギー源は二酸化炭素を排出しない安価なエネルギーでなければなりません。もしそれができなければ、世界の気候はこれまで経験したことのない高い温度となります。そうなった場合、何が起こるのでしょうか。誰にも分からない未知の世界です。

私は地球温暖化対策には三つの技術が必要だと思います。一つめはエネルギー効率です。生活の質を落とさないようにエネルギーの使用量を低減することです。二つめは石炭の代替品としての天然ガス（シェールガス）の使用です。三つめは原子力利用の拡大です。原子力は人類が必要とするエネルギーの一つであり、全ての国が原子力を持つべきものだと考えています。

現在、中国やロシアは原子力発電所の建設を加速しており、世界中に販売するつもりです。原子力はブームであり、今後三十年で我々はアフリカのあちこちで原子炉を見ることになるでしょう。そして、それらには「中国製」の文字があるでしょう。個人的には日本製かアメリカ製であって欲しいと思いますが、中国とロシアが一歩先を行っています。というのも、政府がその危険性を許容範囲と認めているからです。そして第四世代の原子炉については、放射能漏れの危険性はゼロです。構造的に放出しないようになっており自動で原子炉を冷却します。専門家はこのことを知っていますが、一般の人は知らないでしょう。技術的な内容を一般の人に説明するのは難しいものです。そして私が恐れているのは、一般の人がもはや科学を信用していないことです。しかし、技術開発は必要なのです。

地球温暖化との戦いにおいて、日本はお家芸とも言える技術面でエネルギー効率化を進めることで貢献ができると思っています。もう一つは新しい次世代原子力発電所を開発して、世界に輸出することです。私は、日本に第四世代の原子力発電所建設のリーダーシップを発揮してほしいと思います。日本は科学的、技術的、工学的な能力が高いのでそれができると考えています。

リチャード・ムラー
カリフォルニア大学バークレー校物理学教授。地球全体の気温を過去年以上遡り検証したプロジェクト「バークレーアース」の創設者。文化系学生を対象にした物理学の講義はバークレー校のベスト講義に選ばれている。二〇一三年放送「ＮＨＫバークレー白熱教室」講師。

# 原子力は安価・安定・安全なエネルギー

リチャード・レスター
マサチューセッツ工科大学教授

## この世界は安価で安定した安全なエネルギーを必要としている

　アメリカでは、若者やエンジニアたちの革新的原子力技術開発への関心が高まっています。

　彼らは原子力の分野で社会に貢献できると考えていますが、一方で、今の原子力技術は特にコスト面で大きな障害に直面していることも理解しています。このことが原子力を採用する際の障壁となっています。ですから、彼らはより低コストで既存原発以上の安全性を保持し、核廃棄物や核兵器拡散リスクの削減などを行いながら原子力発電ができる方法を模索しています。ここＭＩＴでは、通常の原子力発電所から出る核廃棄物を効率的にエネルギーに変換する原子炉を設計して商業化しようとしています。多くの学生が原子力のためにできる一番の貢献は、新しい会社を設立して、原子力技術の商業化することだと判断したようです。

　一方、原子力技術への恐怖心がどのように引き起こされているのか、またその恐怖心が今後どのように変わる可能性があるのかを十分に理解することも大切です。恐怖心はまさに現実です。しかし、恐怖心の根拠

## ●国家の根幹たるエネルギー政策

マサチューセッツ工科大学

はあまり科学的ではないような気がします。原子力に恐怖心を抱いている人たちには、原子力を持たないリスクをも考えてほしい。

我々は、原子力発電所が安全だと言うことを直接的に示さなければいけません。例えば原子力発電所に起こりうる最悪の事故が発生した際、原子炉が自動停止し、非常用電源が作動して冷却システムが稼働、作業員が原子炉から避難し、いかなる人間の介入もなく全ての崩壊熱が除去されるとしたらどうでしょう。恐らく一般市民がこの種の設計を見れば、事故にともなうリスクへの懸念が低くなるかもしれません。私たちは原子力技術を改良し、安全性を高め、もっと社会に受け入れてもらえるようにしなければなりません。これはとてつもなく大きな工学的挑戦です。

日本においても、原子力産業界が原子力の先端技術開発に貢献できるよう心から願っています。なぜなら原発事故の経験など、日本の原子力産業界が世界に向けて提供できることは山ほどあります。これらの知見は世界にとって極めて重要であり、そこで学んだことが世界中で正しく理解される為にも、日本の若いエンジニアや科学者が原子力の技術開発で重要な役割を果たすことを期待しています。この世界は安価で安定した安全なエネルギーを必要としており、現時点で提供できる唯一のエネルギーは原子力なのです。

リチャード・レスター
一九七四年英国インペリアル大学化学工学部卒。七九年、マサチューセッツ工科大学（MIT）原子力工学博士号取得。同年よりMITで教鞭をとり、教授、原子力科学・工学部長を歴任。九二年からMIT産業パフォーマンスセンター長（初代）も務める。専門は原子力の技術開発、放射性廃棄物の処理方法など。

政策提言

# 日本に原子力発電を取り戻せ

公益財団法人 国家基本問題研究所
（令和元年十二月四日）

## 現状認識

エネルギーの安定供給は国の基である。にもかかわらず、わが国はこの問題にまともに向き合ってこなかった。かつて五十基を越えた日本の原子力発電所は現在九基が稼働しているだけだ。原子力規制委員会の不合理な審査遅延ゆえに、震災後の八年を無駄にしたのである。

日本のエネルギー構造は、国産化石燃料が皆無であるため、エネルギー自給率は主要国中最低である。加えて、日本は他国との国際連係線（パイプライン、送電網）を有しておらず、地政学上のリスクが大きい。

パリ協定が発効し、温暖化防止への取り組みが喫緊の課題となっている。しかし、既に省エネが相当進んだ日本の温室効果ガス削減コストは主要国に比して極めて高い。現在でも我が国の産業用電力料金は主要国中最も高く、米国、中国、韓国等と比較すると一・五～二倍にも達する。すなわち、国内資源の不在、中東依存度の高さ、エネルギーコストの高さ、温室効果ガスの削減コストの高さ、という「四重苦」をかかえているのは主要国中、日本以外にない。

原発の再稼動は、費用対効果の高いエネルギーミックス実現の上で決定的に重要である。すでに巨額の化石燃料輸入負担、再生エネルギー補助負担が生じている。二〇三〇年まで原発の再稼動がゼロとなった場合、火力で代替すれば化石燃料焚き増しだけで約二十七兆円、再エネで代替すれば補助コストだけで少なくとも約十五兆円の追加コストがかかる。

福島原発事故以降、「再エネがあれば

原子力は不要」という誤った議論が跋扈している。再エネか原子力かという二者択一の議論は日本のエネルギー温暖化政策の最適解をゆがめるのみである。ドイツでは、脱原発を掲げ、再エネ比率四〇%を達成しつつも、太陽光・風力発電の出力変動のバックアップのため、火力発電所に頼らざるを得ず、$CO_2$が増大している。こうした失敗事例を踏まえれば、非化石電源である原子力と再エネのそれぞれの強みを活かした両者の共生しか選択肢が無いことは明らかである。

我が国の二〇一八年度の$CO_2$排出が四・八%減となったのは、原発再稼動と再エネ導入拡大によるものだが、九基、九GWの原発の発電量は補助金を使って大量導入された五十六GWの太陽光の発電量に匹敵する。再エネに偏重した施策の限界を直視すべきである。

原子力発電所の再稼働を進め、国民負担のさらなる増大を防ぐとともに、わが国の原子力技術を将来世代のために維持、発展させたい。

以上の認識に立ち、提言する。

## Ⅰ．原子力規制委員会は、科学的合理性を取り戻せ

我が国における原子力オプションの維持・発展のためには、何よりもまず科学的合理性に立脚したリスク低減という本来の趣旨から逸脱した原子力規制を糺すことが不可欠である。

### ❶ＩＡＥＡの総合規制評価サービスの勧告・提言を踏まえ、わが国の規制体制を合理化せよ

平成二十八年の国際原子力機関（ＩＡＥＡ）の総合規制評価サービス（ＩＲＲＳ）ミッション報告は日本政府及び／又は原子力規制委員会に対し、日本の枠組みがＩＡＥＡ安全基準に継続的に整合するような改善を行うこと、特に原子力規制委員会のすべての規制及び支援プロセスについて、統合マネジメントシステムを作成、文書化し、完遂することを勧告・提言している。

しかし現時点ではそうしたシステムが完成しておらず、審査の進捗状況が国民に公開されている状況にない。原子力規制による原発の安全の確保については、確立された国際的な基準を踏まえて行うべきであり、ＩＡＥＡの提言を踏まえ、原子力規制委員会のリスク重要度分類に基づく規制体制とマネジメントの合理化、規制体系のドキュメント化を推進し、予見性のある規制を至急に確立すべきである。震源を特定しない地震動の再審査よりも、再稼働のための適合審査を最優先すべきである。

### ❷「原発を停めるための規制」から「原発を安全に稼動させるための規制」に転換を

東日本大震災から八年も経っているのにもかかわらず現在稼働中の原子力発電所はたったの九基。まだ多くの原発で適合審査が遅滞している。ここまで原発の再稼働が遅れているのは、菅直人政権が事故を機に、三条委員会として発足させた原子力規制委員会の規制行政のあり方に大きな問題がある。当時の田中俊一初代委員長と四人の委員は暫定の委員であったが、その後、政権に復帰した自民党も、この人事を国会で正式に承認してしまった。

田中委員長は「半年を目処に審査を行うので、全ての原発をいったん停止する」として全ての原発の運転を停止させた。いわゆる「田中私案」というものだが、法的根拠はない。現在の更田豊志委員長のもとでも、原発の長期停止は続いている。欧米でも例を見ない長期に亘る原発停止は、その間の燃料調達により巨額の国富の損失を招いており、この損失は、国民一人一人が電気代で負担していることを強く認識しなければならない。原子力規制は「原発を停めるための規制」ではなく、本来の趣旨に則り、「原発を安全に稼動させるための規制」であるべきである。

## ❸大幅に遅延している再稼働審査を正常化し、原発の再停止を回避せよ

審査に何年もかかるのは、敷地内断層の活動性の有無の証拠を揃えるために膨大な時間を要するためである。年代を測定するための火山灰の分析、海岸の隆起の原因を地震とするかどうかの段丘編年の審査、設計用地震波形の決定、重要施設の地下の液状化の有無の根拠など、地質・地盤・耐震の審査が安全審査の約七割以上を占める。このため、六年経っても審査が後戻りしたり、ほとんど審査されていなかったりするプラントが十基を超える。大幅に遅延している再稼働審査を正常化し、原発の再停止を回避すべきである。

## ❹行政手続法に則り、審査の条件と目標を明示し、審査中に条件を変更すべきでない

審査のための基準を最初に明示し、審査中にその条件を変えずに、行政手続法に則り、遅滞なく審査が終了するように審査を合理化すべきである。審査中に新たな条件が次々に追加され、その審査の長期化に伴って猶予期間が短くなって、十分な工事期間が得られなくなった特重施設もその代表例であって、これは規制側の審査にも大きな責任がある。

行政指導の内容は相手方の任意の協力によってのみ実現されるのであるから、原子力規制委員会は行政指導に携わる者として、審査中の条件追加等によってその相手方である事業者が工事期間の確保するために、行政指導に物理的に従えなくなったことを理由とし

て、不利益な取扱いをしてはならない。新規制基準に合格して再稼働している原発に新たな審査条件を付けてむやみに再停止させてはならない。

**❺敷地内断層の審査は国際的に確立されたルールに則り行え**

原子力基本法第二条第2項には「安全の確保については、確立された国際的な基準を踏まえ、国民の生命、健康及び財産の保護、環境の保全並びに我が国の安全保障に資することを目的として、行うものとする。」とある。現在の敷地内断層の審査は上載地層法（※）による敷地内断層が過去に動いた可能性が無いことの証明を要求している。既存の原子力発電所では、岩盤の上に原発を建設するために、上載地層が撤去されているところが大部分であり、この要求はいわゆる「悪魔の証明」に等しい。

国際原子力機関（ＩＡＥＡ）の安全ガイドでは、各国のグッドプラクティスをもちより、他の手段も含めてベストプラクティスとするように求めている。既に実施されている過酷事故対策により、万一断層が動いた場合の断層変位のリスクも大幅に低下している。敷地内断層審査も、科学に基づきリスクを効果的に下げる確立された国際ルールにより規制を行うべきである。

※断層を含む地層の上に十二、三万年以前の安定した地層が存在することを証明する方法。

**❻特重施設の工事遅延を理由にした運転停止は回避せよ**

再稼動した原発が特重施設整備の遅れを理由に再停止に瀕している。特重施設とはテロ対策施設のことで、「意図的な航空機衝突への対応」のためとしている。原子力規制委員会はこの施設が五年間の設置猶予期限までに完成しない場合、再稼働した原発の運転停止を命じる判断を下した。しかし稼働を認めた炉を停止させる判断の適切性、リスク軽減性には大きな疑問がある。先ずこの施設があっても抑止効果は期待できない。航空機の衝突から原子炉を守るためには、このような費用青天井の効果が疑問な施設を作るよりは原発周辺にポールや金網展張、アンテナ、風力発電装置、阻塞気球のような航空障害物を設置して原子炉への直接衝突を防ぐ方が航空機テロの抑止力の観点から有効である。

航空機テロが生起した場合、原子炉への直撃さえ避けることができれば、特重施設が完備している原発と未完備な原発では原発の事故対応に差はない。ようやく再稼働した原発を費用青天井の規制によって停止させることは停電リスクと電気料金負担増を招くのみであり、国益を損なう。東京オリンピック中の大停電リスクを回避するためにも再稼働した原発は停止することなく工事は続行させ、再稼働前の原発は特重施設の内容を見直して柔軟に対応すべきである。

## Ⅱ．国は、原子力の課題解決にリーダーシップをとれ

### ❶テロ対策を電力会社のみに押し付けてはならない

テロの手段は航空機衝突による自爆テロ、ドローンや小型船舶による原発心臓部への攻撃、原発職員の人質立てこもり等、様々なものが想定される。こうした武装集団、民間航空機などの攻撃に対し、現時点では警察官のみによる対抗手段しかない。これは国家安全保障に対する脅威であり、民間電力会社にテロ防護を押し付けて済む問題ではない。

### ❷テロ対策は警察、海上保安庁、自衛隊と連携をとれ

平成三十年防衛大綱において原発防護の対応が初めて盛り込まれたが、これを進め、平時から警察と連携して自衛隊を活用できる法律改正、規定整備をすると共に、原発所在地域を担当する作戦基本部隊等の人員増、装備の充実が必要である。ミサイルやドローンの誘導や攻撃を無力化する高出力マイクロ波（ＨＰＭ）ビームの開発も急務である。

### ❸原子力技術の人材育成と原子力技術の維持・開発を進めよ

現在、中国、ロシアによる原子力発電所の建設や輸出はめざましいものがある。これに対して東日本大震災まで世界一の競争力を持っていた我が国の原子力技術もいまや見る影も無い。我が国が営々として培ってきた技術を立ち枯れさせることは国家的損失である。新しい優秀な人材が原子力の世界を目指すよう、産官学を挙げた原子力人材育成と自然冷却系を強化した次世代軽水炉、再エネ共生型小型モジュール炉（ＳＭＲ）を含め、世界で競争できる原子力技術の開発が必要である。

原子力人材の育成、技術開発を進め、我が国が長期にわたってエネルギー安全保障と脱炭素化を両立させるため、原子力発電所の建て替え、新設の方針明確化が必要である。

### ❹原子力発電所の建て替え、新設を図り、再生可能エネルギーと共生せよ

現在、新設をめぐる議論が封印されている。これは依然として原子力に否定的な世論とマスコミの論調、「安全であっても安心できない」メンタリティ、政権の原子力論議からの逃避が原因である。加えて電力自由化に伴い、事業者も巨額な初期投資がかかる新規原発建設には後ろ向きで、予見性の無い規制のもとでは、経営上のリスクが高く、新規投資を事実上不可能にしている。新規投資の投資環境の悪化、不透明化

を避けるためにも、政府は国家百年の計に立ち、原子力発電所の建て替え、新設の議論を進めるべきである。

原子力は現在八〇％を占めるわが国の火力発電所に代わり、再生可能エネルギーの出力変動を補完し、二酸化炭素を排出しない非化石電源として、日本のエネルギー温暖化政策の中核を担うべきである。

**❺核燃料サイクルを構成する再処理施設と核のゴミ処理を着実に推進せよ**

核燃料サイクルを構成する再処理施設の適合審査の予見性の確保と着実な商業運転開始は、原子力推進・反対の議論を超えて必要なものである。高レベル廃棄物の分離とガラス固化体への融解固化による封じ込めは、空冷施設での保管や地層処分を行う上で、最も安定で長期的な安全性も高い。六カ所の再処理施設は使用前試験において、施設の運転可能性は確認されている。

プルトニウムを減らせとの米国の特定議員からの意見表明は、いわゆる「ワシントン拡声器」と呼ばれる我が国の原子力に反対している組織からの情報発信に起因しており、ＩＡＥＡからは、我が国の核物質防護は、非常にしっかりしていることのお墨付きを得ている。

また、深地層処分場の適地選定と絞り込みにあたっては、国のリーダーシップが必要であり、文献調査に応じた自治体に無用な混乱を生じない配慮と支援が必要である。また、長期的には、高速炉による高レベル廃棄物の燃焼・消滅処理が必要性であり、常陽の活用ともんじゅの廃炉凍結を国の政策として位置づけるべきである。

**❻フィルタベント等の新規制基準を国民に分かりやすく説明し、防災訓練に反映すべきだ**

安全対策に関する国民への説明は規制委員会の重要な責務であり、米国原子力規制委員会（ＮＲＣ）では最重視されている。防潮堤や工学的安全施設（非常用炉心冷却系や原子炉格納容器）等の対策の達成度、万が一、過酷事故に至った場合の電源車やポンプ車、消防車などによる注水や冷却による過酷事故緩和活動、放射性物質を濾し取るフィルタベントの役割などにつき、国民にわかりやすく説明するとともに、防災訓練もそれを反映したものにすべきである。

フィルタベントが設置されていれば、過酷事故が発生しても半径五キロメートルから三十キロメートルの圏内では、屋内退避ですむ。住民負担の大きい避難訓練よりも、実質的に可能性が高い、フィルタベントが作動している状態での防災訓練を実施すると共に、食料・飲み水などの非常食の保管や配給の訓練を充実させるべきである。

**❼国は責任を持って原子力への理解活**

**動に取り組め**

我が国が将来にわたって原子力オプションを保持・発展させていくためには国民理解が不可欠である。福島第一原発以降、原発にゼロリスクを求める議論が生じているが、政府は、およそいかなる技術であっても「絶対安全」は不可能であること、そうした中で原発の安全規制は格段に強化され、万一の場合のリスクが最小化されていること、脆弱なエネルギー構造を有する我が国が長期にわたってエネルギー安全保障と温暖化防止を同時追求するためには原子力が不可欠であること等につき、理解増進活動を抜本的に強化すべきである。

福島では事故以来、汚染水の発生による農業、漁業従事者から国内外における風評被害が取りざたされ再稼働はおろか、自然界レベルのトリチウムを含む処理済水の海洋放出に対しても科学的根拠のない反対キャンペーンが続いている。このようなプロパガンダに対し、政府及び規制委員会は正しい科学的根拠に基づき、自然界の放射線と差はない根拠を示し、主要メディアへの政府広報の掲載・放送等を通じた有効な情報発信を始めるべきである。

## 結語　日本に原子力発電を取り戻せ

エネルギーの安定供給は国の基である。にもかかわらず、わが国はこの問題にまともに向き合ってこなかった。いまや日本のエネルギーを取り巻く環境は「崖っぷち」の状況にある。再エネの効率的な導入と技術開発を進めることは当然である。しかし貴重な国産技術である原子力を封印したままでは対策コストをいたずらに引き上げ、国家安全保障を著しく毀損する。原子力をめぐる状況を正常化させることは「待ったなし」であり、既に述べたような原子力規制の正常化・合理化、新規投資のための政策・ビジネス環境の整備、エネルギーリテラシーの向上に取り組まねばならない。

それを可能にするのは揺るがぬ政治的決意しかない。原発再稼動に懐疑的な世論、脱原発を掲げるメディア、野党の存在等、状況は厳しい。民主国家である以上、世論に配慮せねばならないが、国民に不人気な施策であっても国家百年の計のために取り組まねばならぬ施策もある。日本経済、エネルギー安全保障、温室効果ガス排出にネガティブな影響を与え続ける状況を放置してはならない。安倍政権は安保法制をはじめ、国家安全保障を強化するための施策に強い決意で果敢に取り組んできた。三条委員会の判断は尊重されるべきであるが、エネルギー政策についても同等の決意で取り組むことを強く求めたい。

WiLL SPECIAL

# 日本《にほん》のエネルギーが危《あぶ》ない!

2020年3月26日　初版発行

編集人　立林昭彦
デザイン＆DTP　須川貴弘
発行者　鈴木隆一
発行所　ワック株式会社
東京都千代田区五番町4-5　五番町コスモビル　〒102-0076
電話　03-5226-7622
http://web-wac.co.jp/
印刷製本　大日本印刷株式会社



ISBN978-4-89831-487-6

好評既刊

# 「日本の歴史」全7巻セット

渡部昇一　B-246

神話の時代から戦後混迷の時代まで。特定の視点と距離から眺める無数の歴史的事実の中に、国民共通の認識となる「虹」のような歴史を描き出す。

ワックBUNKO　本体価格六四四〇円

# 読む年表 日本の歴史

渡部昇一　B-211

日本の本当の歴史が手に取るようによく分かる！　神代から現代に至る重要事項を豊富なカラー図版でコンパクトに解説。この一冊で日本史通になる！

ワックBUNKO　本体価格九二〇円

# 渡部昇一 青春の読書

『捕物帖』から、古今東西の碩学の書まで。本と共にあった青春時代を生き生きと描く書物偏愛録。青春時代の秘蔵写真や、世界一の書斎の全貌をカラーで掲載！

単行本　本体価格一七〇〇円

## 好評既刊

# 日本よ、憚《はばか》ることなく

石原慎太郎・亀井静香　B-314

義憤に燃える最後の国士である二人が語り合う。腹黒い狂気に満ちた輩を蹴散らせ！　とばかりに。中国は尖閣どころか池袋、北海道も狙っているぞ！

ワックＢＵＮＫＯ　本体価格九〇〇円

日本を貶《おとし》める——

# 「反日謝罪男と捏造メディア」の正体

大高未貴　B-317

南京「虐殺」の死者は「針小棒大」に、コロナウイルスの病死者は「棒大針小」にする「習近平・中国」。その中国にひれ伏すアンタら、ホンマに日本男子？

ワックＢＵＮＫＯ　本体価格九〇〇円

覇権・監視国家——

# 世界は「習近平中国」の崩壊を望んでいる

河添恵子　B-316

中共政権は21世紀のナチス（チャイナチ）だ！　コロナウイルス騒動で中共一党独裁は崩壊するのか？　オーウェルが危惧した「１９８４」的な世界支配を企む中華帝国。

ワックＢＵＮＫＯ　本体価格九〇〇円